1/2016

Lieber Josdi!

Weiter so. Gefällt
uns wunderbar!

Eins mein...

Bücher.

sehr lehrreich.

Herzlich

[signature]

Das Leben ist eine komplizierte Angelegenheit. Nicht so sehr jedoch für Jorge, der als Psychoanalytiker das Schwierige erklären muss. Denn er weiß, wie er Demian, dem neugierigen jungen Mann, der auf seine vielen Fragen alleine keine Antwort findet, helfen kann – mit Geschichten: Sagen der klassischen Antike, Märchen aus aller Welt, sephardische Legenden, Sufi-Gleichnisse, Zen-Weisheiten aus Japan und China. Und sollte er wirklich einmal keine passende Geschichte in seinem riesigen Fundus haben, dann erfindet er eben selbst eine. Auf diese Weise hilft er seinem Zuhörer Demian, seine Ängste und Probleme besser zu verstehen.

Jorge Bucay hat ein Buch geschrieben, das hilft, sich selbst zu helfen. Leichtfüßig, witzig, lehrreich und unterhaltsam.

»Jorge Bucays Geschichten haben eindeutig Suchtpotential.«
›Frankfurter Allgemeine Zeitung‹

Jorge Bucay, 1949 in Buenos Aires, Argentinien, geboren, stammt aus einer Familie mit arabisch-jüdischen Wurzeln. Aufgewachsen ist er in einem überwiegend christlichen Viertel von Buenos Aires. Er studierte Medizin und Psychoanalyse und wurde zu einem der einflussreichsten Gestalttherapeuten.

Jorge Bucay ist im wahrsten Sinn des Wortes ein geborener Geschichtenerzähler. Sein großer internationaler Erfolg verdankt sich der Erfahrung und Kenntnis unterschiedlichster kultureller Einflüsse und seinem stupenden Wissen über den Menschen. Seine Bücher reflektieren alle diese Einflüsse und seine jahrelange therapeutische Erfahrung. Im *Fischer Taschenbuch Verlag* erschienen zuletzt: ›Das Buch der Trauer / Wege aus Schmerz und Verlust‹ (Bd. 19795) und ›Das Buch der Weisheit / Wege zum Wissen‹ (Bd. 19797). Und in der *Fischer Taschenbibliothek*: ›Geschichten zum Nachdenken‹ (Bd. 52098) und ›Eine traurige, gar nicht so traurige Geschichte‹ (Bd. 52080).

Weitere Informationen, auch zu E-Book-Ausgaben, finden Sie bei www.fischerverlage.de

Jorge Bucay

Komm, ich erzähl dir eine Geschichte

Aus dem Spanischen von Stephanie von Harrach

FISCHER TASCHENBUCH

16. Auflage: November 2015

Erschienen bei FISCHER Taschenbuch,
Frankfurt am Main, September 2007

Lizenzausgabe mit freundlicher Genehmigung
des Ammann Verlags, Zürich
Die Originalausgabe erschien 1999
unter dem Titel ›Déjame que te cuente ...‹
bei Editorial del Nuevo Extremo, Buenos Aires
Der deutschen Übersetzung liegt die Ausgabe
von RBA Libros, S. A., Barcelona 2002 zugrunde
© Jorge Bucay 1999
Deutsche Ausgabe:
© Ammann Verlag & Co., Zürich 2005
Alle Rechte vorbehalten
Satz: Gaby Michel, Hamburg
Druck und Bindung: CPI books GmbH, Leck
Printed in Germany
ISBN 978-3-596-17092-0

Für meine Tochter Claudia

DER ANGEKETTETE ELEFANT

Ich kann nicht«, sagte ich. »Ich kann es einfach nicht.«

»Bist du sicher?« fragte er mich.

»Ja, nichts täte ich lieber, als mich vor sie hinzustellen und ihr zu sagen, was ich fühle… Aber ich weiß, daß ich es nicht kann.«

Der Dicke setzte sich im Schneidersitz in einen dieser fürchterlichen blauen Polstersessel in seinem Sprechzimmer. Er lächelte, sah mir in die Augen, senkte die Stimme wie immer, wenn er wollte, daß man ihm aufmerksam zuhörte, und sagte:

»Komm, ich erzähl dir eine Geschichte.«

Und ohne ein Zeichen meiner Zustimmung abzuwarten, begann er zu erzählen.

ALS ICH EIN kleiner Junge war, war ich vollkommen vom Zirkus fasziniert, und am meisten gefielen mir die Tiere. Vor allem der Elefant hatte es mir angetan. Wie ich später erfuhr, ist er das Lieblingstier vieler Kinder. Während der Zirkusvorstellung stellte das riesige Tier sein ungeheures Gewicht, seine eindrucksvolle Größe und seine Kraft zur Schau. Nach der Vorstellung aber und auch in der Zeit bis kurz vor seinem Auftritt blieb der Elefant immer am Fuß an einen kleinen Pflock angekettet.

Der Pflock war allerdings nichts weiter als ein winziges Stück Holz, das kaum ein paar Zentimeter tief in der Erde steckte. Und obwohl die Kette mächtig und schwer war, stand für mich ganz außer Zweifel, daß ein Tier, das die Kraft hatte, einen Baum mitsamt der Wurzel auszureißen, sich mit Leichtigkeit von einem solchen Pflock befreien und fliehen konnte.

Dieses Rätsel beschäftigt mich bis heute.

Was hält ihn zurück?

Warum macht er sich nicht auf und davon?

Als Sechs- oder Siebenjähriger vertraute ich noch auf die Weisheit der Erwachsenen. Also fragte ich einen Lehrer, einen Vater oder Onkel nach dem Rätsel des Elefanten. Einer von ihnen erklärte mir, der Elefant mache sich nicht aus dem Staub, weil er dressiert sei.

Meine nächste Frage lag auf der Hand: »Und wenn er dressiert ist, warum muß er dann noch angekettet werden?«

Ich erinnere mich nicht, je eine schlüssige Antwort darauf bekommen zu haben. Mit der Zeit vergaß ich das Rätsel um den angeketteten Elefanten und erinnerte mich nur dann wieder daran, wenn ich auf andere Menschen traf, die sich dieselbe Frage irgendwann auch schon einmal gestellt hatten.

Vor einigen Jahren fand ich heraus, daß zu meinem Glück doch schon jemand weise genug gewesen war, die Antwort auf die Frage zu finden:

Der Zirkuselefant flieht nicht, weil er schon seit frühester Kindheit an einen solchen Pflock gekettet ist.

Ich schloß die Augen und stellte mir den wehrlosen neugeborenen Elefanten am Pflock vor. Ich war mir sicher, daß er in diesem Moment schubst, zieht und schwitzt und sich zu befreien versucht. Und trotz aller Anstrengung gelingt es ihm nicht, weil dieser Pflock zu fest in der Erde steckt.

Ich stellte mir vor, daß er erschöpft einschläft und es am nächsten Tag gleich wieder probiert, und am nächsten Tag wieder, und am nächsten... Bis eines Tages, eines für seine Zukunft verhängnisvollen Tages, das Tier seine Ohnmacht akzeptiert und sich in sein Schicksal fügt.

Dieser riesige, mächtige Elefant, den wir aus dem Zirkus kennen, flieht nicht, weil der Ärmste glaubt, daß er es nicht *kann*.

Allzu tief hat sich die Erinnerung daran, wie ohnmächtig er sich kurz nach seiner Geburt gefühlt hat, in sein Gedächtnis eingebrannt.

Und das Schlimme dabei ist, daß er diese Erinnerung nie wieder ernsthaft hinterfragt hat.

Nie wieder hat er versucht, seine Kraft auf die Probe zu stellen.

»So ist es, Demian. Uns allen geht es ein bißchen so wie diesem Zirkuselefanten: Wir bewegen uns in der Welt, als wären wir an Hunderte von Pflöcken gekettet.

Wir glauben, einen ganzen Haufen Dinge *nicht zu können,* bloß weil wir sie ein einziges Mal, vor sehr langer Zeit, damals, als wir noch klein waren, ausprobiert haben und gescheitert sind.

Wir haben uns genauso verhalten wie der Elefant, und auch in unser Gedächtnis hat sich die Botschaft eingebrannt: Ich kann das nicht, und ich werde es niemals können.

Mit dieser Botschaft, der Botschaft, daß wir machtlos sind, sind wir groß geworden, und seitdem haben wir niemals mehr versucht, uns von unserem Pflock loszureißen.

Manchmal, wenn wir die Fußfesseln wieder spüren und mit den Ketten klirren, gerät uns der Pflock in den Blick, und wir denken: *Ich kann nicht, und werde es niemals können.*«

Jorge machte eine lange Pause. Dann rückte er ein Stück heran, setzte sich mir gegenüber auf den Boden und sprach weiter:

»Genau dasselbe hast auch du erlebt, Demian. Dein Leben ist von der Erinnerung an einen Demian geprägt, den es gar nicht mehr gibt und der nicht konnte.

Der einzige Weg herauszufinden, ob du etwas kannst oder nicht, ist, es auszuprobieren, und zwar mit vollem Einsatz. Aus ganzem Herzen!«

VERALLGEMEINERUNGSFAKTOR

Als ich zum ersten Mal in Jorges Sprechstunde ging, wußte ich, daß ich es nicht mit einem gewöhnlichen Psychotherapeuten zu tun haben würde. Claudia, die ihn mir empfohlen hatte, hatte mich gewarnt, daß »der Dicke«, wie sie ihn nannte, »etwas speziell« sei.

Ich hatte die Nase bereits voll von den konventionellen Therapien, besonders davon, mich monatelang auf der Couch eines Psychoanalytikers herumzulangweilen. Also rief ich Jorge an und bat um einen Termin.

Mein erster Eindruck übertraf all meine Erwartungen. Es war ein warmer Frühlingstag. Ich war fünf Minuten zu früh und wartete noch ein Weilchen vor der Haustür.

Punkt halb vier klingelte ich. Der Türöffner summte, ich trat ein und fuhr hinauf in den neunten Stock.

Oben im Gang wartete ich.

Ich wartete.

Und wartete.

Als ich das Warten leid war, klingelte ich an der Praxistür.

Die Tür wurde von einem Kerl geöffnet, der aussah, als wollte er gerade zu einem Picknick gehen: Er trug Jeans, Tennisschuhe und ein knallrotes Freizeithemd.

11

»Hallo«, sagte er. Ich muß zugeben, sein Lächeln beruhigte mich einigermaßen.

»Hallo«, antwortete ich. »Ich bin Demian.«

»Ja, das weiß ich. Was ist passiert? Warum bist du so spät? Hast du dich verlaufen?«

»Nein, ich war pünktlich da. Ich wollte nur nicht klingeln, um nicht zu stören, ich dachte, du hättest vielleicht noch einen Patienten.«

»Um nicht zu stören«, äffte er mich nach und schüttelte besorgt den Kopf. Und wie um mich aus der Reserve zu locken, sagte er: »Also müssen die Dinge zu dir kommen.«

Ich ging nicht weiter darauf ein.

Es war sein zweiter Satz, und sicher war etwas dran an dem, was er sagte, aber... So ein verdammter Hurensohn!

Der Raum, in dem Jorge seine Patienten empfing und den ich nicht unbedingt Sprechzimmer nennen würde, war genau wie er: informell, unordentlich, chaotisch, warm, kunterbunt, unberechenbar und, warum es leugnen, ein bißchen schmuddelig. Wir setzten uns auf zwei Sessel einander gegenüber, und während ich ihm dies und das erzählte, trank Jorge Mate. Ja, mitten in der Sitzung trank er seinen Matetee.

Er bot mir welchen an.

»Gut«, sagte ich.

»Was ist gut?«

»Der Mate...«

»Ich verstehe nicht.«

»Gut, ich nehme einen Mate.«

Jorge machte eine übertriebene Verbeugung und sagte:

»Vielen Dank, Majestät, daß Ihr meinen Mate annehmt... Warum sagst du nicht frei heraus, ob du einen Mate willst oder nicht, anstatt so zu tun, als tätest du mir einen Gefallen?«

Dieser Mann würde mich schnurstracks in den Wahnsinn treiben.

»Ja!« sagte ich.

Und da überreichte mir der Dicke tatsächlich einen Mate.

Ich beschloß also, noch ein Weilchen zu bleiben.

Neben tausend anderen Dingen erzählte ich ihm, daß irgend etwas mit mir wohl nicht ganz stimme, denn ich hätte Schwierigkeiten in den Beziehungen zu meinen Mitmenschen.

Jorge fragte mich, wie ich denn darauf käme, daß das Problem bei mir liege.

Ich erzählte ihm, zu Hause hätte ich Schwierigkeiten mit meinem Vater, meiner Mutter, auch mit meinem Bruder und mit meiner Freundin... Und daß das Problem daher ja wohl ganz offensichtlich bei mir liege. Das war das erste Mal, daß mir Jorge eine Geschichte erzählte.

Mit der Zeit erfuhr ich, daß der Dicke Fabeln liebte, Parabeln, Märchen, kluge Sätze und gelungene Metaphern. Seiner Meinung nach war der einzige Weg, etwas zu begreifen, ohne die Erfahrung am eigenen Leib machen zu müssen, der, ein konkretes symbolisches Abbild für das Ereignis zu haben.

»Eine Fabel, ein Märchen oder eine Anekdote«, bekräftigte Jorge, »kann man sich hundertmal besser merken als tausend theoretische Erklärungen, psychoanalytische Interpretationen oder formale Lösungsvorschläge.«

An diesem Tag sagte mir Jorge, es könne da womöglich etwas in mir leicht aus dem Takt geraten sein, aber er fügte hinzu, daß meine Schlußfolgerung, mich selbst für alles verantwortlich zu machen, gefährlich sei, denn es spreche nichts dafür. Und dann erzählte er mir eine dieser Geschichten, von denen man nie weiß, ob er sie tatsächlich selbst erlebt hat oder ob sie einfach seiner Phantasie entsprungen sind:

MEIN GROSSVATER WAR ein ziemlicher Säufer.
Am liebsten trank er türkischen Anisschnaps.
Er trank Anis und fügte Wasser hinzu, um ihn zu verdünnen, aber trotzdem wurde er betrunken.
Also trank er Whisky mit Wasser und wurde betrunken.
Er trank Wein mit Wasser und wurde betrunken.
Bis er eines Tages beschloß, es seinzulassen.
Und er verzichtete... auf das Wasser.

BRUST ODER MILCH

Nicht in jeder Sitzung erzählte Jorge eine Geschichte, aber aus irgendeinem Grund erinnere ich mich an fast jede einzelne der Geschichten, die er mir in den anderthalb Jahren meiner Therapie erzählt hat. Vielleicht hatte er recht, wenn er behauptete, dies sei die beste Methode, etwas zu kapieren.

Ich erinnere mich noch an den Tag, an dem ich ihm sagte, daß ich mich sehr abhängig von ihm fühle. Ich erzählte ihm, wie sehr mich das störe und wie ich gleichzeitig nicht auf das verzichten könne, was er mir in jeder Sitzung mit auf den Weg gab. Nach meinem Eindruck hatten meine Bewunderung und Zuneigung für Jorge bewirkt, daß ich extrem von seinem Blick abhängig war und mich viel zu stark an die Therapie gebunden sah.

> DU HAST HUNGER zu lernen
> Hunger zu wachsen
> Hunger zu wissen
> Hunger zu fliegen...
> Vielleicht bin ich heute
> die Brust
> die jene Milch gibt
> die deinen Hunger stillt...

Es scheint mir wunderbar, daß du nun
nach dieser Brust verlangst.
Aber vergiß eins nicht:
Es ist nicht die Brust, die nährt,
es ist die Milch!

DER BUMERANGZIEGEL

An diesem Tag war ich sehr aufgebracht. Ich hatte schlechte Laune, und alles ging mir auf die Nerven. Mein Verhalten im Sprechzimmer war gereizt und wenig produktiv. Alles, was ich tat, und alles, was ich besaß, war mir verhaßt. Vor allem aber war ich wütend auf mich selbst. Wie in der Geschichte von Papini, die Jorge an diesem Tag für mich bereithielt, hatte ich das Gefühl, mich selbst nicht ertragen zu können.

»Ich bin ein Idiot«, sagte ich, mehr zu mir selbst. »Ein Riesenesel... Ich hasse mich.«

»Na schön, Demian, die Hälfte der Anwesenden in diesem Sprechzimmer haßt dich. Die andere wird dir eine Geschichte erzählen.«

Es war einmal ein Mann, der ging mit einem Ziegelstein in der Hand durch die Welt. Er hatte beschlossen, jedem, der ihm quer kam und ihn zur Weißglut brachte, einen Schlag mit dem Ziegelstein zu verpassen. Etwas barbarisch, diese Methode, aber wirkungsvoll, nicht wahr?

Eines Tages lief ihm ein ziemlich arroganter Freund über den Weg, der ihm etwas unmanierlich daherkam.

Seiner Maßregel getreu, griff der Mann nach seinem Ziegel und warf ihn.

Ich weiß nicht, ob er getroffen hat, Tatsache ist, daß er anschließend den Ziegelstein wieder holen gehen mußte, und das war ihm lästig. Also setzte er alles daran, das »System zur Wiedererlangung des Ziegelsteins«, wie er es nannte, zu verbessern. Er band den Ziegelstein an eine Schnur von einem Meter Länge und trat damit auf die Straße. Das System hatte den Vorteil, daß sich der Ziegelstein nie allzu weit entfernte, aber bald stellte sich heraus, daß die neue Methode auch ihre Mängel hatte: Einerseits durfte sich die feindliche Zielperson nicht weiter als einen Meter von ihm entfernt aufhalten, andererseits mußte er, nachdem er den Ziegelstein geworfen hatte, die Schnur wieder aufwickeln, weil sie sich oft verwirrte und verknotete, was noch zusätzliche Mühen mit sich brachte.

Also machte sich der Mann an die Entwicklung des »Systems Ziegel III«. Im Mittelpunkt stand weiterhin besagter Ziegelstein, aber dieses System war, statt mit einer Schnur, mit einer Sprungfeder ausgestattet. Der Ziegelstein konnte also unendlich oft abgeworfen werden und kam jedesmal von selbst zurück. So war es zumindest geplant.

Als der Mann mit dem neuen Modell auf die Straße trat und sich der ersten Anfechtung ausgesetzt sah, warf er den Ziegel. Er hatte sich verkalkuliert, der Stein verfehlte sein Ziel, und nachdem sich die Feder ausgelöst hatte, kam der Ziegel zurück und traf unseren Mann genau am Kopf.

Er versuchte es noch einmal und verpaßte sich einen zweiten Ziegelschlag – er hatte die Entfernung falsch berechnet.

Einen dritten, weil er den Stein zu zeitig losgeschleudert hatte.

Ein vierter Versuch war von besonderer Natur, denn nachdem der Mann sich einmal für ein Opfer entschieden hatte, wollte er es zugleich vor seinem eigenen Angriff schützen, und so traf der Stein wiederum ihn selbst am Kopf.

Wo er eine riesige Beule verursachte.

Er fand nie heraus, warum es ihm nicht gelingen wollte, jemandem einen Ziegelstein an den Kopf zu werfen: lag es an den vielen Schlägen, die er selbst hatte einstecken müssen, oder an irgendeiner seelischen Deformation?

Alle ausgeteilten Schläge trafen stets ihn selbst.

»Einen solchen Mechanismus nennt man Retroflexion. Dabei handelt es sich im großen und ganzen darum, andere vor unserer eigenen Aggression zu bewahren. In solchen Fällen hält unsere aggressive feindliche Energie, bevor sie den anderen erreicht, vor einer Barriere inne, die wir uns selbst auferlegt haben. Diese Barriere fängt den Aufprall nicht ab, sondern schickt die Energie einfach retour. Und all die Wut, der Mißmut, all die Aggressionen fallen auf uns selbst zurück in Form von echtem autoaggressivem Verhalten, wie Selbstverstümmelung, Freßanfällen, Drogenkonsum oder übertriebener Risikofreude, und in anderen Fällen über unterdrückte Gefühle oder Emotionen, wie Depressionen, Schuldgefühle oder psychosomatische Erkrankungen.

Sehr wahrscheinlich würde ein aufgeklärtes menschliches Phantasiewesen, das ein bißchen auf Draht ist und fest im Leben steht, nie wütend werden. Es wäre natürlich wunderbar, wenn man sich gar nicht erst aufregen müßte, und trotzdem, wenn Wut, Haß oder Überdruß einen überkommen, ist der einzige Weg, sie wieder loszuwerden, der, sie in Handlung umzusetzen. Das Gegenteil bewirkt früher oder später nur, daß man wütend auf sich selbst wird.«

Der wahre Wert des Rings

Wir hatten darüber gesprochen, wie wichtig es ist, Anerkennung und Wertschätzung von außen zu bekommen. Jorge hatte mir Maslows Theorie der hierarchisch angeordneten Bedürfnisse erklärt.

Wir alle gründen unsere Selbsteinschätzung darauf, wie sehr wir von anderen gemocht und respektiert werden. An diesem Tag hatte ich mich darüber beklagt, weder von meinen Eltern richtig für voll genommen zu werden, noch als der beste Kumpel meiner Freunde zu gelten und auch auf der Arbeit nicht die rechte Anerkennung zu bekommen.

»Es gibt da eine alte Geschichte«, sagte der Dicke und reichte mir den Mate, damit ich ihn aufgoß, »die handelt von einem jungen Mann, der einen Weisen um Hilfe ersucht. Dein Problem scheint mir dem seinen zu ähneln.«

»Meister, ich bin gekommen, weil ich mich so wertlos fühle, daß ich überhaupt nichts mit mir anzufangen weiß. Man sagt, ich sei ein Nichtsnutz, was ich anstelle, mache ich falsch, ich sei ungeschickt und dumm dazu. Meister, wie kann ich ein besserer Mensch werden? Was kann ich tun, damit die Leute eine höhere Meinung von mir haben?«

Ohne ihn anzusehen, sagte der Meister: »Es tut mir sehr leid, mein Junge, aber ich kann dir nicht helfen, weil ich zuerst mein eigenes Problem lösen muß. Vielleicht danach...«

Er machte eine Pause und fügte dann hinzu: »Wenn du zuerst *mir* helfen würdest, könnte ich meine Sache schneller zu Ende bringen und mich im Anschluß eventuell deines Problems annehmen.«

»S... sehr gerne, Meister«, stotterte der junge Mann und spürte, wie er wieder einmal zurückgesetzt und seine Bedürfnisse hintangestellt wurden.

»Also gut«, fuhr der Meister fort. Er zog einen Ring vom kleinen Finger seiner linken Hand, gab ihn dem Jungen und sagte: »Nimm das Pferd, das draußen bereitsteht, und reite zum Markt. Ich muß diesen Ring verkaufen, weil ich eine Schuld zu begleichen habe. Du mußt unbedingt den bestmöglichen Preis dafür erzielen, und verkauf ihn auf keinen Fall für weniger als ein Goldstück. Geh und kehr so rasch wie möglich mit dem Goldstück zurück.«

Der Junge nahm den Ring und machte sich auf den Weg. Kaum auf dem Markt angekommen, pries er ihn den Händlern an, die ihn mit einigem Interesse begutachteten, bis der Junge den verlangten Preis nannte.

Als er das Goldstück ins Spiel brachte, lachten einige, die anderen wandten sich gleich ab, und nur ein einziger alter Mann war höflich genug, ihm zu erklären, daß ein Goldstück viel zu wertvoll sei, um es gegen einen Ring einzutauschen. Entgegenkommend bot ihm jemand ein

Silberstück an, dazu einen Kupferbecher, aber der Junge hatte die Anweisung, nicht weniger als ein Goldstück zu akzeptieren, und lehnte das Angebot ab.

Nachdem er das Schmuckstück jedem einzelnen Marktbesucher gezeigt hatte, der seinen Weg kreuzte – und das waren nicht weniger als hundert –, stieg er, von seinem Mißerfolg vollkommen niedergeschlagen, auf sein Pferd und kehrte zurück.

Wie sehr wünschte sich der Junge, ein Goldstück zu besitzen, um es dem Meister zu überreichen und ihn von seinen Sorgen zu befreien, damit der ihm mit Rat und Tat zur Seite stehen konnte.

Er betrat das Zimmer.

»Meister«, sagte er, »es tut mir leid. Das, worum du mich gebeten hast, kann ich unmöglich leisten. Vielleicht hätte ich zwei oder drei Silberstücke dafür bekommen können, aber es ist mir nicht gelungen, jemanden über den wahren Wert des Ringes hinwegzutäuschen.«

»Was du sagst, ist sehr wichtig, mein junger Freund«, antwortete der Meister mit einem Lächeln. »Wir müssen zuerst den wahren Wert des Rings in Erfahrung bringen. Steig wieder auf dein Pferd und reite zum Schmuckhändler. Wer könnte den Wert des Rings besser einschätzen als er? Sag ihm, daß du den Ring verkaufen möchtest, und frag ihn, wieviel er dir dafür gibt. Aber was immer er dir auch dafür bietet: Du verkaufst ihn nicht. Kehr mit dem Ring hierher zurück.«

Und erneut machte sich der Junge auf den Weg.

Der Schmuckhändler untersuchte den Ring im Licht

einer Öllampe, er besah ihn durch seine Lupe, wog ihn und sagte:

»Mein Junge, richte dem Meister aus, wenn er jetzt gleich verkaufen will, kann ich ihm nicht mehr als achtundfünfzig Goldstücke für seinen Ring geben.«

»Achtundfünfzig Goldstücke?« rief der Junge aus.

»Ja«, antwortete der Schmuckhändler. »Ich weiß, daß man mit etwas Geduld sicherlich bis zu siebzig Goldstücke dafür bekommen kann, aber wenn es ein Notverkauf ist…«

Aufgewühlt eilte der Junge in das Haus des Meisters zurück und erzählte ihm, was geschehen war.

»Setz dich«, sagte der Meister, nachdem er ihn angehört hatte. »Du bist wie dieser Ring: ein Schmuckstück, kostbar und einzigartig. Und genau wie bei diesem Ring kann deinen wahren Wert nur ein Fachmann erkennen. Warum irrst du also durch dein Leben und erwartest, daß jeder x-beliebige um deinen Wert weiß?«

Und noch während er dies sagte, streifte er sich den Ring wieder über den kleinen Finger der linken Hand.

Der launenhafte König

Als ich den Mund aufmachte, fiel mir auf, wie hastig ich sprach. Ich war euphorisiert. Während meines Gesprächs mit Jorge wurden mir allmählich bewußt, was ich während der Woche alles getan hatte.

Wie so manches Mal fühlte ich mich wie ein unschlag-barer Supermann, ein wahres Glückskind. Voll motiviert und strotzend vor Energie erzählte ich dem Dicken von meinen Plänen für die nächsten Tage.

Der Dicke lächelte fröhlich und komplizenhaft.

Ich hatte wie immer den Eindruck, daß dieser Mann mich in all meinen Seelenzuständen begleitete, mochten sie sein, wie sie wollten. Daß ich meine Freude mit Jorge tei-len konnte, war ein weiterer Grund für mein Glück. Alles lief bestens, und ich schmiedete weiter Pläne. Für all das, was ich mir vorgenommen hatte, würden zwei Leben kaum ausreichen.

»Soll ich dir eine Geschichte erzählen?« fragte Jorge.

Obwohl ich mich kaum konzentrieren konnte, hörte ich zu.

Es war einmal ein sehr mächtiger König, der regierte in einem fernen Land. Er war ein guter König, aber es gab da ein Problem: Er besaß zwei Persönlichkeiten.

Es gab Tage, da erwachte er voller Überschwang, euphorisch und glücklich.

Solche Tage waren vom ersten Glockenschlag an wunderbar. Die Gärten seines Palastes waren schön wie nie. Seine Dienerschaft schien wie ausgewechselt, so ausgesucht höflich und tüchtig war sie.

Beim Frühstück fand er bestätigt, daß in seinem Königreich das beste Mehl verarbeitet und die besten Früchte geerntet wurden.

An solchen Tagen senkte der König die Steuern, teilte den Staatsschatz neu auf, gab Anträgen statt und sorgte für einen friedlichen Lebensabend der Alten. An solchen Tagen gewährte der König seinen Freunden und Untertanen jede Bitte.

Aber es gab auch ganz andere Tage.

Das waren schwarze Tage. Schon am Morgen hatte er dann das Gefühl, daß er lieber noch ein bißchen länger im Bett geblieben wäre. Wenn ihm das klar wurde, war es allerdings schon zu spät und die Träume bereits verflogen.

Sosehr er sich auch bemühte, er konnte einfach nicht verstehen, warum seine Bediensteten so übellaunig und unaufmerksam ihm gegenüber waren. Die Sonne störte ihn noch mehr als der Regen. Das Essen war lauwarm und der Kaffee zu kalt. Und schon allein die Vorstellung, Besucher zu empfangen, verschlimmerte seine Kopfschmerzen.

An solchen Tagen erinnerte sich der König der Versprechungen, die er zu anderen Zeiten gemacht hatte, und erschrak beim Gedanken daran, wie er sie einlösen solle. Dies waren die Tage, an denen der König Steuererhöhungen anordnete, Ländereien beschlagnahmte und seine Widersacher verhaften ließ...

Aus Angst vor Gegenwart und Zukunft und heimgesucht von den Irrtümern der Vergangenheit, regierte er an solchen Tagen gegen sein Volk, und das meistgebrauchte Wort an diesen Tagen war »nein«.

Als ihm bewußt wurde, in welch mißliche Lage ihn seine Stimmungsschwankungen brachten, rief der König die Weisen, Magier und Zauberer aus dem gesamten Königreich zusammen.

»Herrschaften«, sagte er, »Sie alle kennen meine Launen. Sie alle haben von meinem Überschwang profitiert und unter meinen Ausfällen gelitten. Derjenige, der am meisten darunter leidet, bin allerdings ich selbst, denn Tag um Tag bin ich damit beschäftigt, den Schaden wettzumachen, den ich angerichtet habe, wenn ich die Dinge mal wieder mit anderen Augen sah.

Ich möchte, daß Sie zusammenarbeiten, um eine Kur zu finden, sei es nun ein Heiltrunk oder eine Zauberformel, die verhindert, daß ich einmal so überaus optimistisch bin und jedes Risiko auf mich nehme und dann wieder so kleinlich schwarzseherisch werde und beginne, diejenigen zu quälen und zu unterdrücken, die mir lieb sind.«

Die Weisen nahmen die Herausforderung an und befaßten sich wochenlang intensiv mit dem Problem des Königs. Dennoch, keine Alchemie, keine Zauberkraft und kein Kraut konnte eine Lösung für die gestellte Aufgabe erbringen.

Also traten die Weisen vor den König und gestanden ein, daß sie gescheitert waren.

In dieser Nacht weinte der König bitterlich.

Am nächsten Morgen bat ein fremder Besucher, beim König vorsprechen zu dürfen. Es war ein seltsamer, dunkelhäutiger Mann, gehüllt in eine zerschlissene Tunika, die vielleicht einst weiß gewesen war.

»Majestät«, sagte der Mann und verbeugte sich. »Dort, wo ich herkomme, spricht man von Eurer Unbill und davon, wie sehr sie Euch quält. Ich bin gekommen, Euch das Gegenmittel zu bringen.«

Er neigte den Kopf und reichte dem König ein kleines Lederkästchen.

Der König öffnete es überrascht und erwartungsvoll und sah hinein. Darinnen fand er nichts als einen einfachen Silberring.

»Danke«, sagte der König begeistert. »Ist das ein Zauberring?«

»Gewiß ist er das«, antwortete der Reisende, »aber seine Wirkung tritt erst in Kraft, wenn man ihn am Finger trägt.

Jeden Morgen, gleich beim Aufstehen, müßt Ihr die Inschrift lesen und Euch jedesmal, wenn Ihr den Ring anschaut, an sie erinnern.«

Der König nahm den Ring aus dem Kästchen und las laut vor:

Sei dir bewußt, daß auch dies vergänglich ist.

DIE FRÖSCHLEIN IN DER SAHNE

Ich steckte mitten in den Prüfungen. Ich hatte mich für zwei im Nebenfach und eine im Hauptfach angemeldet. Der nächste Termin stand mir in einer Woche bevor, und dafür blieb noch viel zu tun.

»Ich schaff das nicht«, sagte ich zu Jorge. »Es ist reine Energieverschwendung, sich mit etwas aufzuhalten, das sowieso aussichtslos ist. Am besten gehe ich einfach mit dem Wissen in die Prüfung, das ich jetzt habe. Dann habe ich wenigstens nicht die ganze Woche mit Lernen vergeudet, wenn sie mich schließlich doch nur durchfallen lassen.«

»Kennst du die Geschichte von den zwei Fröschlein?« fragte mich da der Dicke.

ES WAREN EINMAL zwei Frösche, die fielen in den Sahnetopf.

Sofort dämmerte ihnen, daß sie ertrinken würden: Schwimmen oder sich einfach treiben lassen war in dieser zähen Masse unmöglich. Am Anfang strampelten die Frösche wie wild in der Sahne herum, um an den Topfrand zu gelangen. Aber vergebens, sie kamen nicht vom Fleck und gingen unter. Sie spürten, wie es immer

29

schwieriger wurde, an der Oberfläche zu bleiben und Atem zu schöpfen.

Einer von ihnen sprach es aus: »Ich kann nicht mehr. Hier kommen wir nicht raus. In dieser Brühe kann man nicht schwimmen. Und wenn ich sowieso sterben muß, wüßte ich nicht, warum ich mich noch länger abstrampeln sollte. Welchen Sinn kann es schon haben, aus Erschöpfung im Kampf für eine aussichtslose Sache zu sterben?«

Sagte es, ließ das Paddeln sein und ging schneller unter, als man gucken konnte, buchstäblich verschluckt vom dickflüssigen Weiß.

Der andere Frosch, von hartnäckigerer Natur, vielleicht auch nur ein Dickkopf, sagte sich: »Keine Chance. Aussichtslos. Aus diesem Bottich führt kein Weg heraus. Trotzdem werde ich mich dem Tod nicht einfach so ergeben, sondern kämpfen, bis zum letzten Atemzug. Bevor mein letztes Stündlein nicht geschlagen hat, werde ich keine Sekunde herschenken.«

Es strampelte weiter und paddelte Stunde um Stunde auf derselben Stelle, ohne vorwärtszukommen.

Und von all dem Strampeln und die Beinchen Schwingen, Paddeln und Treten verwandelte sich die Sahne allmählich in Butter.

Überrascht machte der Frosch einen Sprung und gelangte zappelnd an den Rand des Topfes. Von dort aus konnte er fröhlich quakend nach Hause hüpfen.

DER MANN, DER GLAUBTE,
ER SEI TOT

Ich weiß, daß ich noch über die Geschichte mit den Fröschen nachdachte.

»Das ist wie in dem Gedicht von Almafuerte«, sagte ich. »Gib dich nicht verloren, selbst wenn du verloren bist.«

»Kann sein«, sagte der Dicke. »Ich glaube allerdings, hier geht es eher um so etwas wie ›Gib dich nicht verloren, *bevor* du verloren bist‹. Oder aber: ›Erklär dich nicht zum Verlierer, bevor der Moment der letzten Abrechnung gekommen ist.‹ Weil…«

Und da war sie schon, die nächste Geschichte.

ES WAR EINMAL ein Mann, der enorme Angst vor Krankheiten hatte, und vor allem fürchtete er sich sehr vor dem Tod. Eines Tages kam ihm die verrückte Idee, daß er eventuell schon tot sei. Also fragte er seine Frau: »Sag mal, Frau. Bin ich etwa schon tot?«

Die Frau lachte und riet ihm, zur Probe seine Hände und Füße anzufassen.

»Siehst du? Sie sind warm. Das bedeutet, daß du lebendig bist. Wenn du tot wärst, wären deine Hände und Füße kalt.«

Dem Mann schien die Antwort plausibel, und er beruhigte sich.

Wenige Wochen später, an einem verschneiten Wintertag, ging der Mann zum Brennholzhacken in den Wald. Dort angekommen, zog er die Handschuhe aus und machte sich mit der Axt an den Stämmen zu schaffen.

Gedankenlos wischte er sich mit der Hand über die Stirn und bemerkte, daß sie kalt war. Er erinnerte sich an die Worte seiner Frau, zog Schuhe und Socken aus und fand zu seinem Entsetzen bestätigt, daß auch sie kalt waren.

Da zweifelte er nicht eine Sekunde mehr: Er gestand sich ein, daß er tot war.

»Es ist sehr unvernünftig für einen Toten, hier draußen Holz zu hacken«, sagte er sich. Also ließ er die Axt neben seinem Maultier liegen, streckte sich stumm auf dem gefrorenen Boden aus, faltete die Hände auf der Brust und schloß die Augen.

Kaum lag er da, näherte sich eine Hundemeute seinem Proviantbeutel. Als die Tiere bemerkten, daß nichts und niemand sie daran hinderte, zerfetzten sie den Beutel und verschlangen alles Eßbare darin. Der Mann dachte: ›Glück haben sie, daß ich tot bin. Wäre dem nicht so, würde ich sie höchstpersönlich mit Fußtritten davonjagen.‹

Die Meute schnüffelte weiter herum und entdeckte das an einem Baum festgebundene Maultier. Leichte Beute für die scharfen Zähne der Hunde. Das Maultier brüllte und schlug mit den Hufen aus, der Mann aber dachte nur daran, wie gern er dem Tier geholfen hätte, wenn er bloß nicht tot gewesen wäre.

Innerhalb weniger Minuten war das Maultier mit Haut und Haaren verspeist, und nur ein paar einzelne Hunde nagten noch an dem ein oder anderen Knochen.

Die Meute, deren Hunger nicht zu stillen war, streunte weiter an jenem Ort umher.

Es dauerte nicht lange, da hatte einer der Hunde Menschengeruch gewittert. Er blickte sich suchend um und bemerkte den Holzfäller, der unbeweglich auf dem Boden lag. Der Hund näherte sich behutsam, sehr behutsam, denn er hielt die Menschen für sehr hinterlistig und gefährlich.

Kurz darauf hatte die gesamte Meute mit sabbernden Lefzen den Mann umstellt.

›Jetzt fressen sie mich‹, dachte der Mann. ›Wenn ich nicht tot wäre, würde die Geschichte ganz anders ausgehen.‹

Die Hunde kamen näher...

Und da er sich nicht rührte, fraßen sie ihn auf.

DER PORTIER DES FREUDENHAUSES

Die Hälfte meines Studiums lag hinter mir, und wie viele andere Studenten begann ich plötzlich, meine Entscheidung fürs Studieren zu hinterfragen.

Als ich mit meinem Therapeuten darüber sprach, begriff ich, daß ich selbst derjenige war, der sich unter Druck setzte und sich dazu zwang, das Studium fortzusetzen.

»Das ist das Problem«, sagte der Dicke. »Wenn du weiter glaubst, daß du studieren und den Abschluß machen *mußt,* besteht keine Aussicht darauf, daß du je Freude daran haben wirst. Und wenn es dir nicht die geringste Freude bereitet, werden dir gewisse Teile deiner Persönlichkeit irgendwann einen Streich spielen.« Bis zum Überdruß wiederholte Jorge, daß er nicht an die Anstrengung glaube. Seiner Meinung nach gab es nichts Nützliches, das man mit Anstrengung erreichen konnte. Meiner Meinung nach täuschte er sich hierbei. Zumindest handelte es sich in meinem Fall um die Ausnahme zur Bestätigung der Regel.

»Aber Jorge, ich kann doch mein Studium nicht so einfach an den Nagel hängen«, sagte ich. »Ich wüßte nicht, wie ich in den Kreisen, in denen ich nun einmal leben werde, ohne Titel jemals etwas darstellen sollte. Ein Studium ist da zumindest so etwas wie eine Garantie.«

»Kann sein«, sagte der Dicke. »Kennst du den Talmud?«

»Ja.«

»Im Talmud gibt es eine Geschichte, in der geht es um einen ganz gewöhnlichen Mann. Er ist Portier in einem Freudenhaus.«

IM GESAMTEN DORF gab es keinen Beruf, der schlechter bezahlt und angesehen war als der des Freudenhausportiers ... Aber was hätte dieser Mann denn sonst tun sollen?

Fakt war, daß er nie schreiben oder lesen gelernt und auch nie eine andere Tätigkeit oder einen anderen Beruf ausgeübt hatte. Er war zu dem Posten gekommen, weil auch schon sein Vater Portier dieses Freudenhauses gewesen war, und vor ihm dessen Vater.

Jahrzehntelang war das Freudenhaus von den Händen der Väter in die Hände der Söhne übergegangen, und so auch der Posten des Portiers.

Eines Tages starb der alte Freudenhausbesitzer, und ein ehrgeiziger, kreativer junger Mann mit Unternehmergeist wurde zum neuen Geschäftsführer ernannt. Der Junge hatte vor, den Laden zu modernisieren.

Er renovierte die Zimmer und bestellte anschließend die Belegschaft zu sich, um sie neu einzuweisen.

Dem Portier sagte er: »Ab heute werden Sie neben Ihrer Arbeit an der Tür jede Woche einen Bericht für mich schreiben. Darin notieren Sie die Anzahl der Paare, die uns Tag für Tag besuchen. Jedes fünfte Pärchen fragen Sie, wie es mit seiner Bewirtung zufrieden war und ob es Vorschläge zur Verbesserung hat. Einmal pro Woche legen Sie mir diesen Bericht mit Ihrer Auswertung vor.«

Der Portier zitterte. Noch niemals hatte es ihm an Arbeitswillen gemangelt, jedoch...

»So gern ich Ihnen diesen Wunsch auch erfüllen würde«, stammelte er, »aber ich... ich kann weder lesen noch schreiben.«

»Oh, das ist bedauerlich. Sie werden verstehen, daß ich mir allein für diese Tätigkeit keinen zusätzlichen Angestellten leisten kann, und genausowenig kann ich von Ihnen verlangen, daß Sie schreiben lernen, daher...«

»Aber, Herr Geschäftsführer, Sie können mich nicht einfach auf die Straße setzen. Ich habe mein ganzes Leben lang hier gearbeitet, genau wie vor mir mein Vater und mein Großvater...«

Der Geschäftsführer ließ ihn gar nicht ausreden.

»Ich verstehe Sie ja, aber ich kann leider nichts für Sie tun. Natürlich bekommen Sie eine Abfindung, das heißt, eine Summe, die Ihnen hilft, über die Runden zu kommen, bis Sie eine neue Stelle gefunden haben. Es tut mir sehr leid. Ich wünsche Ihnen alles Gute.«

Und ohne ein weiteres Wort kehrte er ihm den Rücken zu und ging.

Für den Mann brach eine Welt zusammen. Nie hätte er sich träumen lassen, je in eine solche Situation zu geraten. Er kam nach Hause und war das erste Mal in seinem Leben arbeitslos. Was sollte er tun?

Er erinnerte sich daran, wie er manchmal im Freudenhaus, wenn ein Bett kaputtgegangen war oder der Fuß an einem Schrank wackelte, sich der Sache angenommen und sie provisorisch und schnell mit Hammer und Nagel repariert hatte: Das könnte eine vorübergehende Beschäftigung für ihn sein, bis ihm jemand eine neue Stelle anbot.

Im ganzen Haus suchte er nach geeignetem Werkzeug, fand aber nur ein paar rostige Nägel und eine schartige Zange. Er mußte einen kompletten Werkzeugkasten anschaffen, und dafür würde er einen Teil seiner Abfindung einsetzen.

Kurz vor der Haustür fiel ihm ein, daß es in seinem Dorf gar keine Eisenwarenhandlung gab und daß er einen zweitägigen Ritt auf seinem Maultier auf sich nehmen mußte, um in das Dorf zu gelangen, in dem er seine Einkäufe tätigen konnte. ›Was hilft's?‹ dachte er und machte sich auf den Weg.

Bei seiner Rückkehr trug er einen wunderbar sortierten Werkzeugkasten bei sich. Er hatte sich die Stiefel noch nicht ausgezogen, da klingelte es an seiner Haustür: Es war sein Nachbar.

»Ich wollte fragen, ob Sie nicht einen Hammer hätten, den Sie mir eventuell leihen könnten.«

»Nun, ich habe mir gerade einen gekauft, aber den brauch ich selbst, damit ich arbeiten kann, ich habe nämlich meine Stelle verloren.«

»Ich verstehe, aber ich würde ihn gleich morgen früh zurückbringen.«

»Also gut.«

Am nächsten Morgen klingelte der Nachbar wie versprochen an der Tür.

»Hören Sie, ich bräuchte den Hammer noch. Könnten Sie ihn mir nicht verkaufen?«

»Nein, ich brauche ihn selbst, für meine Arbeit, und außerdem ist die nächste Eisenwarenhandlung zwei Tagesreisen mit dem Maultier entfernt.«

»Vielleicht kommen wir ins Geschäft«, sagte der Nachbar. »Ich zahle Ihnen die zwei Tage An- und Abreise plus den Preis für den Hammer. Sie sind doch arbeitslos und haben die nötige Zeit. Was halten Sie davon?«

Er machte sich klar, daß das vier Tage Beschäftigung bedeutete – und nahm den Auftrag an.

Bei seiner Rückkehr wartete ein anderer Nachbar vor seiner Tür.

»Hallo, Herr Nachbar, Sie haben doch unserem Freund einen Hammer geliehen.«

»Ja...«

»Ich brauche ein paar Werkzeuge. Ich bin bereit, Ihnen vier Tagesreisen und eine kleine Gewinnspanne für jedes einzelne Stück zu zahlen. Denn es liegt ja auf der Hand, daß nicht jeder von uns vier Tage Zeit zum Einkaufen hat.«

Der ehemalige Portier öffnete seinen Werkzeugkasten, und sein Nachbar suchte sich eine Schraubzwinge, einen Schraubenzieher, einen Hammer und einen Meißel heraus. Er zahlte und ging.

»*Nicht jeder von uns hat vier Tage Zeit zum Einkaufen*«, die Worte klangen ihm noch im Ohr.

Wenn das so war, könnte es noch viele andere Menschen geben, denen daran gelegen war, daß er sich auf die Reise machte, um Werkzeug einzukaufen.

Bei seiner nächsten Reise beschloß er, einen Teil seiner Abfindungssumme zu investieren und noch mehr Werkzeug zu erwerben, als er bereits verkauft hatte. So könnte er Reisezeit einsparen.

Es sprach sich bald im Viertel herum, und immer mehr Nachbarn beschlossen, nicht mehr selbst zum Einkaufen ins Nachbardorf zu gehen.

Einmal pro Woche machte sich der frischgebackene Werkzeugverkäufer auf die Reise, um Einkäufe für seine Kunden zu erledigen. Dann wurde ihm klar, daß er, wenn er einen Raum fände, in dem er seine Werkzeuge lagern könnte, noch mehr Reisen einsparen und so noch mehr Geld verdienen würde. Also mietete er einen Laden an.

Er vergrößerte den Geschäftseingang, und ein paar Wochen später fügte er einen Lagerraum hinzu. Auf diese Weise wurde der Laden die erste Eisenwarenhandlung im Dorf.

Alle waren zufrieden und kauften bei ihm ein. Jetzt brauchte er nicht mehr zu reisen: Die Eisenwarenhandlung im Nachbardorf lieferte seine Bestellungen an, denn er war ein guter Geschäftspartner.

Mit der Zeit beschlossen alle Kunden in den umliegenden kleinen Dörfern, ihre Eisenwaren bei ihm zu kaufen und somit die zwei Tagesreisen einzusparen.

Irgendwann hatte er die Idee, daß sein Freund, der Schmied, ihm die Hammerköpfe anfertigen könnte. Und dann, warum nicht?, auch die Zangen, Zwingen und Meißel. Später kamen noch Schrauben und Nägel hinzu.

Um die Geschichte abzukürzen: Innerhalb von zehn Jahren hatte es dieser Mann durch Aufrichtigkeit und Fleiß zum millionenschweren Eisenwarenproduzenten gebracht und war zum einflußreichsten Unternehmer der Region geworden.

So einflußreich war er, daß er eines Tages zu Beginn des Schuljahres beschloß, seinem Dorf eine Schule zu stiften. Neben Lesen und Schreiben unterrichtete man dort die Künste und lehrte die nützlichsten Handwerksberufe.

Der Bürgermeister und der Gemeindevorsteher organisierten ein großes Fest zur Schuleinweihung und ein offizielles Abendessen zu Ehren ihres Stifters.

Beim Nachtisch überreichte der Gemeindevorsteher die Stadtschlüssel, und der Bürgermeister umarmte ihn und sagte: »Voller Stolz und Dankbarkeit bitten wir Sie, uns die Ehre zu erweisen und sich auf der ersten Seite des Goldenen Buchs der neuen Schule einzutragen.«

»Die Ehre wäre ganz auf meiner Seite«, sagte der Mann. »Nichts täte ich lieber, als dort zu unterzeichnen, aber leider kann ich weder lesen noch schreiben: Ich bin Analphabet.«

»Sie?« sagte der Bürgermeister, der es nicht glauben konnte. »Sie können weder lesen noch schreiben? Sie haben ein Industrieimperium aus der Taufe gehoben, ohne lesen und schreiben zu können? Da staune ich aber. Und frage mich, was Sie wohl erst erreicht hätten, hätten Sie lesen und schreiben gekonnt.«

»Das kann ich Ihnen sagen«, antwortete der Mann ruhig. »Hätte ich lesen und schreiben gekonnt, wäre ich noch immer Portier im Freudenhaus!«

ZWEI NUMMERN KLEINER

Für diesen Tag hatte ich ein Thema vorbereitet: Ich wollte noch einmal über das Sich-Anstrengen sprechen.

Als wir im Sprechzimmer darüber geredet hatten, schien mir alles sehr einleuchtend. Sobald es dann aber darum ging, mein Wissen in der Praxis anzuwenden, war es mir einfach nicht möglich, das umzusetzen, was mir in der Theorie so erstrebenswert vorgekommen war.

»Ich habe das Gefühl, daß es im Leben ohne Anstrengung einfach nicht geht. Und ich denke, daß das für jeden gilt. Hin und wieder, glaube ich, müssen wir uns alle ein bißchen ins Zeug legen.«

»In gewisser Weise hast du recht«, sagte der Dicke. »Einen großen Teil meiner letzten zwanzig Lebensjahre habe ich damit verbracht, diesem meinem Prinzip treu sein zu wollen, und nicht immer hat es geklappt. Ich denke, das ist normal. Der Gedanke von der Nicht-Anstrengung ist eine Herausforderung, eine Methode, ein Sport. Und als solcher erfordert er Training.

Am Anfang hielt ich das auch für nicht machbar«, fuhr er fort. »Was würden die Leute von mir denken, wenn ich nicht zu dieser Veranstaltung ginge? Wenn ich nicht aufmerksam zuhörte, obwohl es mich einen feuchten Kehricht interessierte, was sie da sagten? Wenn ich mich dem Menschen, den ich eigentlich verachtete, nicht dankbar gegenüber zeigte? Wenn ich einfach nein sagte zu einem Antrag, dem ich partout nicht zustimmen mochte? Wenn ich mir den Luxus erlaubte, nur vier Tage in der Woche zu arbeiten, und darauf verzichtete, mehr Geld zu verdienen? Wenn ich unrasiert durch die Welt spazierte? Wenn ich mich weigerte, mit dem Rauchen aufzuhören, bevor es mich nicht von selbst überkäme? Wenn...?

Irgendwann habe ich geschrieben, daß dieser Gedanke von der notwendigen Anstrengung nur eine gesellschaftliche Erfindung sei, die einer bestimmten Vorstellung entspringt, einem ideologischen Denksystem, das ein sehr negatives Bild vom Menschen als sozialem Wesen hat. Klar, daß der Mensch als das unentschlossene, bösartige, egoistische und gleichgültige Wesen, für das er gemeinhin gilt, sich ziemlich anstrengen muß, um sich zu bessern. Aber wer behauptet denn, daß der Mensch so ist?«

Ich hörte fasziniert zu, nicht so sehr wegen dem, was Jorge sagte, sondern weil ich versuchte, mir meine eigene Vorstellung davon zu machen, was es heißen könnte, entspannt zu leben, eins mit sich selbst zu sein, ruhig und ohne Druck, ohne sich immer wieder fragen zu müssen: »Was tu ich hier eigentlich?«

Aber wo anfangen?

»Erst einmal«, sprach Jorge weiter, als hätte er meine Gedanken gelesen, »zuallererst müssen wir eine Regel außer Kraft setzen, die man uns schon als kleines Kind einimpft. Diese Regel ist so tief in uns eingesickert, daß wir sie uns gänzlich zu eigen gemacht haben:

Es zählt nur das, was wir durch Anstrengung erreicht haben.

Das ist *bullshit,* wie die Amerikaner sagen würden, Och-senkacke. Jeder mit ein bißchen gesundem Menschenver-stand weiß, daß das nicht stimmt, und dennoch richten wir unser Leben so ein, als wäre es eine unbestreitbare Wahr-heit.

Vor einigen Jahren habe ich ein klinisches Syndrom be-schrieben, an dem wir − obwohl es in keinem medizini-schen oder psychologischen Handbuch steht − alle leiden oder schon mal gelitten haben. Ich habe es das ›Syndrom-vom-zwei-Nummern-kleineren-Schuh‹ genannt, und ich werde dir erzählen, warum.«

EIN MANN BETRITT einen Schuhladen, und ein freund-licher Verkäufer kommt auf ihn zu:

»Was kann ich für Sie tun, mein Herr?«

»Ich hätte gern ein Paar schwarze Schuhe, genau wie die im Schaufenster.«

»Sehr gerne, mein Herr. Sie tragen Größe... einund-vierzig. Nehme ich an?«

»Nein. Größe neununddreißig, bitte.«

»Entschuldigen Sie, der Herr. Ich bin seit zwanzig Jahren in dieser Branche, und Sie müßten Größe einund-vierzig haben. Vielleicht vierzig, aber auf keinen Fall die neununddreißig.«

»Ich möchte Größe neununddreißig, bitte.«

»Darf ich freundlicherweise Ihren Fuß messen?«

»Messen Sie, soviel Sie wollen, ich möchte ein Paar Schuhe Größe neununddreißig.«

Aus einer Schublade holt der Schuhverkäufer einen dieser seltsamen Apparate, mit denen man die Füße vermißt, und ruft mit Genugtuung aus: »Sehen Sie, ich hab's ja gesagt: einundvierzig!«

»Guter Mann, wer bezahlt denn die Schuhe, Sie oder ich?«

»Sie.«

»Also gut. Dann bringen Sie mir bitte ein Paar in Größe neununddreißig.«

Resigniert und verständnislos geht der Schuhverkäufer ein Paar Schuhe in Größe neununddreißig holen. Unterwegs geht ihm ein Licht auf: Die Schuhe sind nicht für den Mann, sondern sicherlich sollen sie ein Geschenk sein.

»Bitte, mein Herr, da sind sie: schwarz, Größe neununddreißig.«

»Haben Sie einen Schuhlöffel?«

»Sie wollen sie anziehen?«

»Ja, natürlich.«

»Dann sind sie also für Sie bestimmt?«

»Für wen denn sonst? Einen Schuhlöffel bitte!«

Um diesen Fuß in den Schuh zu quetschen, ist ein Schuhlöffel unabdingbar. Nach mehreren Anläufen und unter den absurdesten Verrenkungen gelingt es dem Kunden, den ganzen Fuß in den Schuh zu zwängen.

Unter Schmerz- und Wehgeheul geht er ein paar beschwerliche Schritte auf dem Teppich.

»Fabelhaft. Ich nehme sie.«

Beim Gedanken an die zusammengequetschten heißen Zehen in den neununddreißiger Schuhen bekommt der Verkäufer Fußweh.

»Soll ich sie Ihnen einpacken?«

»Nein, danke. Ich behalte sie gleich an.«

Der Kunde verläßt das Geschäft und läuft, so gut es geht, die drei Häuserblocks bis zu seiner Arbeitsstelle. Er ist Kassierer in einer Bank.

Um vier Uhr nachmittags, nachdem seine Füße mehr als sechs Stunden in diesen Schuhen gesteckt haben, steht ihm der Schmerz ins Gesicht geschrieben, seine Augen sind gerötet, und Tränen fließen ihm über die Wangen.

Der Kollege an der Nachbarkasse hat ihn den ganzen Nachmittag über mit wachsender Sorge beobachtet.

»Was ist los mit dir? Geht's dir nicht gut?«

»Doch, doch. Es sind nur die Schuhe.«

»Was ist denn mit deinen Schuhen?«

»Sie drücken.«

»Wieso? Sind sie naß geworden?«

»Nein. Sie sind zwei Nummern kleiner als mein Fuß.«

»Wessen Schuhe sind es denn?«

»Meine.«

»Das soll einer verstehen. Tun dir die Füße nicht weh?«

»Sie bringen mich fast um, meine Füße.«

46

»Wie jetzt?«

»Also gut, ich erklär's dir«, sagt er und schluckt: »Mein Leben hat nicht gerade viel Erfreuliches zu bieten. Eigentlich hat es in der letzten Zeit nur ganz wenige angenehme Momente gegeben.«

»Und?«

»Diese Schuhe bringen mich um. Natürlich leide ich Höllenqualen, aber wenn ich in einer Stunde nach Hause komme und sie ausziehe... Was glaubst du, was das für ein Wohlgefühl ist. Das reine Vergnügen. Ein wahrer Genuß.«

»Scheint verrückt, oder? Ist es auch, Demian, ist es.

Das ist im großen und ganzen die Regel, nach der wir erzogen worden sind. Ich weiß, daß auch meine Haltung eine extreme ist, trotzdem lohnt es sich, einmal in sie hineinzuschlüpfen wie in einen Anzug, um zu sehen, ob sie uns steht.

Ich glaube nicht, daß es irgend etwas wirklich Wertvolles gibt, das man mit Anstrengung erreichen kann.«

Mit dem Gedanken an seinen letzten unflätigen, aber überzeugenden Satz verließ ich die Sprechstunde:

»Sich anstrengen? Ja, muß man, wenn man Verstopfung hat.«

Tischlerei »Numero sieben«

Manche Leute sind nicht nur verbohrt, sie lassen sich
auch nicht helfen«, beschwerte ich mich.

Der Dicke machte es sich in seinem Sessel bequem und
erzählte:

Es gab da einmal ein kleines Haus, fast ein kleiner
Bauernhof, außerhalb der Stadt. Im vorderen Teil war
eine bescheidene Werkstatt mit Maschinen und Werkzeug eingerichtet, im hinteren befanden sich zwei Zimmer, eine Küche und ein provisorisches Bad.

Joaquín hatte jedoch keinen Grund sich zu beklagen.
Während der letzten beiden Jahre war die Tischlerwerk-
statt »Numero sieben« stadtbekannt geworden, und Joaquín verdiente genügend Geld, um nicht auf seine knap-
pen Ersparnisse zurückgreifen zu müssen.

An diesem Morgen stand er wie immer gegen halb
sieben auf, um den Sonnenaufgang zu betrachten. Allerdings führte ihn sein Gang heute nicht wie üblich bis
zum See, denn auf dem Weg dorthin, gerade einmal
zweihundert Meter vom Haus entfernt, stolperte er fast
über den zerschundenen Körper eines jungen Mannes.

Rasch kniete er sich nieder und legte sein Ohr an dessen Brust... Ganz tief im Inneren hörte er ein Herz po-

chen, das sich mühte, den Rest von Leben zu erhalten, der in diesem schmutzigen und nach Blut, Dreck und Alkohol riechenden Körper noch vorhanden war.

Joaquín ging eine Schubkarre holen, in der er den Mann transportierte. Zu Hause angekommen, legte er den Körper auf sein Bett, schnitt die zerfetzten Kleider auf und wusch ihn behutsam mit Wasser, Seife und Alkohol.

Nicht nur, daß der Junge betrunken war, er war auch übel zugerichtet worden. Er hatte Schnittwunden an den Händen und auf dem Rücken, und sein rechtes Bein war gebrochen.

Während der nächsten beiden Tage widmete sich Joaquín der Genesung seines unerwarteten Gastes: Er salbte und verband seine Wunden, schiente das Bein und fütterte ihn löffelweise mit Hühnerbrühe.

Als der Junge erwachte, saß Joaquín an seinem Bett und betrachtete ihn fürsorglich und liebevoll.

»Wie geht es dir?« fragte Joaquín.

»Gut..., glaube ich«, antwortete der Junge und besah seinen wiederhergestellten Körper. »Wer hat sich meiner angenommen?«

»Ich.«

»Warum?«

»Du warst verletzt.«

»Nur deshalb?«

»Nein, auch weil ich ein bißchen Hilfe gebrauchen könnte.«

Und beide lachten herzlich.

Gesunde Ernährung, viel Schlaf und Alkoholverzicht brachten Manuel, so hieß der junge Mann, schnell wieder auf die Beine.

Joaquín lag daran, ihn in sein Handwerk einzuweisen, und Manuel war daran gelegen, sich nach Möglichkeit vor der Arbeit zu drücken. Immer wieder versuchte Joaquín jenem vom ausschweifenden Leben mitgenommenen Geist die Vorzüge einer sicheren Arbeit, eines guten Rufes und eines soliden Lebenswandels einzutrichtern. Immer wieder schien Manuel verstanden zu haben, kam aber über kurz oder lang morgens nicht mehr aus dem Bett und vernachlässigte die Pflichten, mit denen ihn Joaquín betraut hatte.

Die Monate vergingen, und Manuel war mittlerweile vollständig genesen. Joaquín hatte Manuel das große Zimmer überlassen, eine Teilhaberschaft am Geschäft und den morgendlichen Vortritt im Bad. Im Gegenzug mußte ihm der Junge versprechen, sich ganz und gar auf die Arbeit zu konzentrieren.

Eines Nachts, während Joaquín bereits schlief, entschied Manuel, sechs Monate Alkoholverzicht seien genug und ein Gläschen im Dorf könne ihm schon nicht schaden. Für den Fall, daß Joaquín in der Nacht aufwachte, versperrte Manuel seine Zimmertür von innen und verließ das Haus durchs Fenster. Die Kerze im Zimmer hatte er brennen lassen, um ihn im Glauben zu wiegen, er sei da.

Auf das erste Gläschen folgte das zweite, und darauf das dritte, das vierte und viele andere...

Als die Feuerwehr unter Sirenengeheul an der Bar vorbeiraste, stimmte er gerade mit seinen Zechkumpanen ein Trinklied an. Manuel maß dem Aufruhr keine Bedeutung bei, bis er im Morgengrauen torkelnd zu Hause eintraf und die Leute auf der Straße versammelt sah.

Nur ein, zwei Wände, die Maschinen und ein paar Werkzeuge hatten den Brand überstanden. Von Joaquín fand man nichts weiter als vier oder fünf versengte Knochen, die man auf dem Friedhof unter einem Stein begrub, in den Manuel das folgende Epitaph einmeißeln ließ:

»Ich werde es tun, Joaquín, ganz sicher, ich tu's!«

Mit viel Mühe baute Manuel die Tischlerei wieder auf. Er war faul, aber geschickt, und das, was er von Joaquín gelernt hatte, half ihm sehr, das Geschäft schnell voranzubringen.

Von irgendeinem Ort aus, das spürte er, ruhte Joaquíns ermutigendes Auge auf ihm. Manuel gedachte seiner bei jedem freudigen Anlaß: bei seiner Hochzeit, bei der Geburt seines ersten Sohnes, beim Kauf seines ersten Autos...

Fünfhundert Kilometer entfernt, fragte sich Joaquín, putzmunter und lebendig, ob es zulässig gewesen sei, zu lügen, zu betrügen und Feuer an das schöne Haus zu legen, nur um diesen jungen Mann zu retten.

Er kam zu dem Schluß, daß es das war, und lachte sich ins Fäustchen beim Gedanken daran, daß die Ortspolizei Schweineknochen für seine sterblichen Überreste gehalten hatte.

Seine neue Tischlerei war ein bißchen bescheidener ausgestattet als die erste, aber bereits bekannt bei den Leuten im Ort. Sie hieß »Numero acht«.

»Manchmal wird es einem ganz schön schwer gemacht, Demian, einem geliebten Menschen zu helfen. Wenn es aber eine Schwierigkeit gibt, die es wert ist, in Kauf genommen zu werden, dann ist es die, jemand anderem zu helfen. Und das ist keine moralische Verpflichtung oder dergleichen, das ist eine Lebensentscheidung, die jeder trifft, wann und wofür er will.

Nach dem, was ich selbst erlebt und gesehen habe, glaube ich, daß ein freier Mensch mit Selbsterkenntnis von sich aus großzügig, solidarisch und liebenswürdig ist und genauso gerne gibt wie er nimmt. Dennoch sollte man Leute, die nichts weiter tun, als Nabelschau zu betreiben, nicht verurteilen: Sie werden schon genügend Probleme mit sich haben. Sobald man sich aber selbst bei schäbigen, armseligen oder kleingeistigen Verhaltensweisen ertappt, nutze man die Gelegenheit und frage sich, was eigentlich los ist. Sicher ist man irgendwo in eine Sackgasse geraten.

Einmal schrieb ich:

Ein neurotischer Mensch braucht weder
einen Therapeuten, der ihn heilt,
noch einen Pfarrer, der ihn führt.

*Er braucht nur
einen Meister, der ihm zeigt,
an welchem Punkt des Weges er sich verirrt hat.«*

BESITZANSPRÜCHE

Keine Ahnung, wie ich dort hingeraten war, aber zu einem gewissen Zeitpunkt in meinem Leben erkannte ich, daß ich mich auf einem beängstigenden Holzweg befand.

Alles begann mit einem Eifersuchtsanfall wegen meiner Freundin. Für ein Treffen mit ihren Studienkolleginnen hatte sie unsere Verabredung verschoben. Seitdem bekam ich die Verlustängste nicht mehr aus dem Kopf und litt wie ein Hund.

In der Therapie hatte ich darüber geredet, daß man Verluste als solche durchleben muß, aber damals fühlte ich mich einfach nur elend.

»Ich sehe nicht ein, warum ich meine Partnerin mit ihren Freundinnen teilen soll, oder meine Freunde mit ihren Partnerinnen. Ich sage das jetzt extra so, damit ich merke, was das für ein Blödsinn ist. Hilf mir doch mal auf die Sprünge. Wenn etwas mir gehört, und mag es für dich auch noch so rückständig klingen, dann habe ich doch das Recht, zu erlauben oder zu verbieten, was damit geschieht, und zwar jederzeit. Es gehört ja mir.«

Jorge stellte die Teekanne ab und erzählte:

ZERSTREUT SCHLENDERTE ER durch die Straßen, da sah er ihn vor sich: einen riesigen wunderschönen Berg aus Gold.

Das Sonnenlicht fiel direkt drauf und ließ seine Oberfläche in allen Regenbogenfarben schillern, so daß er wirkte wie ein intergalaktisches Objekt aus einem Film von Steven Spielberg.

Leicht hypnotisiert blickte er ihn eine ganze Weile an.

›Ob der jemandem gehört?‹ dachte er.

Er sah sich in alle Richtungen um, doch es war niemand in der Nähe.

Schließlich trat er an den Berg heran und berührte ihn. Er war warm.

Er strich mit den Fingerkuppen über seine Oberfläche und spürte, daß die perfekte Glattheit eine taktile Entsprechung für seine Helligkeit und seine Schönheit waren.

›Ich will ihn ganz für mich‹, dachte er.

Vorsichtig hob er ihn an und trug ihn auf den Armen zur Stadt hinaus. Völlig berauscht kam er bald in den Wald und steuerte auf eine Lichtung zu.

Dort angekommen, stellte er ihn sorgsam ins Gras und setzte sich davor, um ihn in der Nachmittagssonne zu bewundern.

›Es ist das erste Mal, daß ich etwas so Kostbares ganz für mich habe. Etwas, das nur mir gehört. Mir ganz allein‹ – dachten sie beide zugleich.

»Wenn wir etwas besitzen, an dem wir so sklavisch hängen: Wer besitzt dann wen, Demian? *Wer besitzt wen?*«

GESANGSWETTBEWERB

M ir schwirrten noch immer einige Worte aus der vor-
angegangenen Sitzung im Kopf herum.

Als ich das Sprechzimmer verlassen hatte, hallten sie
nach: armselig, schäbig, egoistisch, Sackgasse... Ich hatte
einen Knoten im Hirn, ein unentwirrbares Durcheinander.

Mit der »erklärten Absicht«, wie Jorge sagen würde,
weiter über dieses Thema zu sprechen, kam ich in die nächste Sitzung.

»Jorge«, begann ich, »du verteidigst den Egoismus immer
als deutlichen Ausdruck von Selbstwertschätzung, von
wohlverstandener Eigenliebe... Aber das letzte Mal hast
du über die Armseligkeit gesprochen, und ich, der ich diese
blöde Angewohnheit habe, Begriffe, die mir nachklingen,
im Wörterbuch nachzuschlagen, habe auch bei ›armselig‹
nachgeschaut.«

»Und?«

»Da heißt es: geizig, kleinmütig, undankbar, erbärm-
lich. Und, was soll ich dir sagen, für mich klingt das alles
gleich.«

»Laß mal sehen«, sagte der Dicke, der das Große Uni-
versalwörterbuch aufgeschlagen hatte. »Hier steht noch:
bedürftig, knapp, mickrig. Vielleicht hilft uns das weiter«,

fuhr er fort. »Armselig muß jemand sein, dem es am Nötig´
sten mangelt oder der glaubt, daß es ihm am Nötigsten
mangele. Jemand, dem etwas Entscheidendes fehlt, um sich
nicht mehr klein zu fühlen. Jemand, der nicht geben will,
weil er alles für sich beansprucht; der arme Unglückselige,
der nichts anderes kennt als seine eigenen Wünsche.«

Jorge machte eine lange Pause und kramte in seinem Ge´
dächtnis, ich machte es mir derweil auf meinem Sessel be´
quem, um ihm zuzuhören.

Ein Uhu, der eine Weile in Gefangenschaft bei den
Menschen gelebt hatte, kehrte in den Wald zurück und
erklärte den Tieren die seltsamen Bräuche der Städter.

Er erzählte zum Beispiel, daß man in den Städten
Wettbewerbe in den verschiedenen Künsten ausrichtete,
um die Besten jeder Sparte zu ermitteln: in der Malerei,
im Zeichnen, Bildhauern oder beim Gesang…

Die Idee, es den Menschen gleichzutun, verbreitete
sich schnell unter den Tieren, und innerhalb kürzester
Zeit war ein Gesangswettbewerb organisiert, zu dem
sich, vom Stieglitz bis zum Nashorn, fast alle Anwesen´
den rasch angemeldet hatten.

Angeleitet vom Uhu, der es von der Stadt her so kann´
te, wurde bestimmt, daß der Wettbewerb in allgemeiner
und geheimer Abstimmung aller Teilnehmer entschieden
werden sollte, die damit also ihre eigene Jury bildeten.

Und so geschah es. Jeder Bewohner des Waldes, auch
der Mensch, stieg aufs Podium und sang unter mehr oder

weniger großem Beifall aus dem Publikum ein Lied. Anschließend notierte man seine Wertung auf einem Zettel, der gefaltet und in einer großen Urne eingesammelt wurde, über die der Uhu wachte.

Als der Moment der Auszählung gekommen war, betrat der Uhu die improvisierte Bühne und öffnete, von zwei greisen Affen flankiert, die Urne, um in einem transparenten Wahlvorgang, als Höhepunkt der allgemeinen und geheimen Abstimmung und als Beispiel für die demokratische Gesinnung, die Stimmen auszuzählen, genau wie er es bei den Politikern in der Stadt beobachtet hatte.

Einer der Greise zog die erste Stimme hervor, und der Uhu verkündete lauthals vor dem bewegten Publikum: »Die erste Stimme, liebe Brüder und Schwestern, geht an unseren Freund, den Esel!«

Ein Schweigen trat ein, dann folgte zaghafter Beifall.

»Die zweite Stimme fällt auf ... den Esel!«

Verwirrung machte sich breit.

»Dritte Stimme: der Esel!«

Die Teilnehmer tauschten untereinander Blicke aus, zunächst überrascht, dann vorwurfsvoll und schließlich, nachdem Stimme um Stimme auf den Esel gefallen war, zunehmend beschämt und schuldbewußt ob der eigenen Wahl.

Jeder wußte, daß es keinen schlechteren Gesang gab als das ohrenbetäubende Eselsgeschrei. Dennoch hatte ihn Stimme um Stimme zum besten Sänger erkoren.

Und so geschah es, daß nach der Stimmenauszählung

die unabhängige Jury in freier Wahl entschied, daß das schaurig schrille Eselsgeschrei den ersten Preis erhielt.

Der Esel wurde zur »Besten Stimme im Wald und auf weiter Flur« gekürt.

Dann erklärte der Uhu, was passiert war: Jeder der Teilnehmer hatte sich selbst für den verdienten Sieger des Wettbewerbs gehalten und seine Stimme dem am wenigsten qualifizierten Teilnehmer gegeben, demjenigen also, von dem nicht die geringste Gefahr ausging.

Die Wahl war fast einstimmig entschieden worden. Nur zwei Stimmen waren nicht auf den Esel gefallen: seine eigene, denn da er wußte, daß es für ihn nichts zu verlieren gab, hatte er aufrichtig für die Lerche gestimmt, und die des Menschen, der, wie könnte es anders sein, für sich selbst gestimmt hatte.

»Siehst du, Demian. Solche Blüten treibt die Armseligkeit in unserer Gesellschaft. Wenn wir uns so wichtig fühlen, daß neben uns nichts mehr Bestand hat, wenn wir uns für derart verdienstvoll halten, daß wir nicht mehr über unsere eigene Nasenspitze hinaussehen können, wenn wir glauben, so absolut unwiderstehlich zu sein, daß man uns schlichtweg nichts abschlagen kann, dann lassen uns die Eitelkeit, die Knauserei, die Dummheit und die Beschränktheit wieder armselig werden. Nicht egoistisch, Demian, sondern armselig. Arm‑se‑lig.«

Was ist das eigentlich
für eine Therapie?

Schon seit einer geraumen Weile fragten mich meine Freunde, was für eine Art von Therapie ich denn da machte. Sie waren dermaßen überrascht über manches, was ich ihnen vom Dicken erzählt hatte, und darüber, was in seinem Sprechzimmer so vor sich ging, daß sie seine Arbeitsweise mit nichts in Verbindung bringen konnten, was sie aus der Therapiewelt kannten. Und, wozu es leugnen, auch ich hatte nie zuvor etwas Vergleichbares erlebt.

Und so nutzte ich eines Nachmittags, als die Dinge bei mir mehr oder weniger im Lot waren, »alles am rechten Platz«, wie er es nannte, die Gunst der Stunde und fragte Jorge, was das denn eigentlich für eine Therapie sei.

»Was das für eine Therapie ist? Was weiß ich! Ist es denn eine Therapie?« fragte mich der Dicke.

›Pech gehabt‹, dachte ich. ›Der Dicke hat wieder einen dieser hermetischen Tage, an denen es so gut wie aussichtslos ist, eine Antwort von ihm zu bekommen.‹ Aber ich blieb hart.

»Jetzt mal im Ernst. Ich möchte es wissen.«

»Wozu?«

»Um etwas dazuzulernen.«

»Und was nützt es dir, zu wissen, was für eine Art von Therapie das ist?«

»Aus der Nummer komm ich nicht raus, stimmt's?« sagte ich und ahnte schon, was jetzt folgen würde.

»Rauskommen? Warum willst du da rauskommen?«

»Hör mal, es geht mir auf die Nerven, daß ich dich nie etwas fragen kann. Wenn du Lust hast, läßt du dich zu einer Erklärung herab, und wenn nicht, ist es unmöglich, aus dir auch nur eine einzige Antwort herauszubekommen. Das ist ungerecht.«

»Bist du wütend?«

»Ja, ich bin wütend!«

»Und was machst du mit deiner Wut? Was fängst du mit dem Zorn an, den du jetzt in dir spürst? Behältst du ihn drin?«

»Ich habe keine Lust zu schreien. Rutsch mir doch den Buckel runter!«

»Schrei doch noch mal.«

»Rutsch mir den Buckel runter!«

»Mach weiter. Wen beschimpfst du so? Mach weiter!«

»Rutsch mir verdammt noch mal den Buckel runter, verfluchter Kerl! Du sollst mir den Buckel runterrutschen!«

Der Dicke schaute mich schweigend an, während ich Luft holte und allmählich wieder zu meinem natürlichen Atemrhythmus zurückfand.

Ein paar Minuten später machte er den Mund auf:

»Das ist die Art von Therapie, die wir machen, Demian. Eine Therapie, die drauf aus ist zu verstehen, was in jedem

Moment deines Lebens in dir vorgeht. Eine Therapie, die Risse in deine Fassade klopfen will, damit der wahre Demian hervorkommen kann.

Eine Therapie, die gleichermaßen einzigartig wie unbeschreiblich ist, weil sie auf der Beschaffenheit zweier einzigartiger und unbeschreiblicher Personen beruht: dir und mir. Zweier Personen, die darin übereingekommen sind, vorerst einmal mehr Aufmerksamkeit auf den Entwicklungsprozeß des einen legen zu wollen: nämlich deinen.

Eine Therapie, die niemanden heilt, weil sie weiß, daß sie nur dem ein oder anderen dazu verhelfen kann, sich selbst zu helfen.

Eine Therapie, die nicht darauf aus ist, eine gewisse Wirkung zu erzielen, sondern einfach nur als Katalysator dienen will, um einen Prozeß zu beschleunigen, der sich früher oder später sowieso eingestellt hätte, ob mit oder ohne Therapeuten.

Eine Therapie, die, zumindest bei diesem Therapeuten, mehr und mehr einem Lernprozeß ähnelt. Und schließlich, eine Therapie, deren Aufmerksamkeit viel eher auf dem Fühlen liegt als auf dem Denken, eher auf dem Tun als auf dem Planen, auf dem Sein als auf dem Haben und auf der Gegenwart statt auf Vergangenheit oder Zukunft.«

»Das ist der Punkt: die Gegenwart«, antwortete ich. »Genau das scheint mir der Unterschied zu meinen vorherigen Therapien zu sein: die Betonung der aktuellen Situation. Alle anderen Therapeuten, die ich kenne oder von denen ich gehört habe, sind an der Vergangenheit interessiert, an den Auslösern und dem Ursprung eines Problems. All das ist dir egal. Wenn du aber nicht weißt, wo die Sache angefangen hat, kompliziert zu werden, wie kannst du sie dann beilegen?«

»Um's kurz zu machen, muß ich wohl etwas ausholen. Mal sehen, ob ich dir das erklären kann. In der Welt der Therapie gibt es, soweit ich weiß, mehr als zweihundert-fünfzig verschiedene Therapieformen, und hinter jeder steht eine eigene philosophische Schule.

Diese Schulen unterscheiden sich voneinander in ihrer ideologischen Ausrichtung, ihrer Form oder in ihrem An-satz. Sie alle aber haben zum Ziel, die Lebensqualität des Patienten zu verbessern. Worin sich die Therapeuten aller-dings nicht immer ganz einig sind, ist, was ›verbesserte Le-bensqualität‹ nun eigentlich heißt. Aber damit wollen wir uns jetzt nicht aufhalten.

Diese zweihundertfünfzig Schulen kann man grob drei großen Denkrichtungen zuordnen, je nachdem, worauf sich das Hauptaugenmerk des jeweiligen Therapiemodells bei der Behandlung der Problematik seines Patienten rich-tet. So gibt es Schulen, die sich ganz auf die Vergangenheit konzentrieren. Dann solche, die ihren Blick in die Zukunft richten. Und schließlich die, die sich vor allem mit der Ge-genwart befassen.

Die erste und bei weitem nicht die am stärksten vertre-tene Richtung umfaßt all die Schulen, die von der Vorstel-lung ausgehen – oder auch nur so tun –, der Neurotiker sei jemand, der irgendwann in seiner Kindheit einmal ein Pro-blem hatte, an dessen Folgen er bis heute zu knabbern hat. Die Arbeit besteht also darin, alle Erinnerungen an die

Vorgeschichte dieses Patienten hervorzuholen, bis man auf die Situationen stößt, die die Neurose verursacht haben. Da die Erinnerung daran nach Ansicht der Analytiker ins Unterbewußtsein des Patienten verdrängt worden ist, besteht die Aufgabe darin, sein Inneres nach jenen Ereignissen zu durchforsten, die darin verborgen liegen.

Bestes Beispiel hierfür ist die klassische Psychoanalyse. Sie unterscheidet sich von den anderen Schulen durch die Frage nach dem *Warum*.

Viele Analytiker glauben, es genüge, dem Motiv für das Symptom auf die Schliche zu kommen, und schon laufe alles wieder rund.

Die Freudsche Psychoanalyse, um von der verbreitetsten dieser Schulen zu sprechen, hat wie alles Vor- und Nachteile.

Ihr grundlegender Vorteil ist, daß es wohl kein anderes Therapiemodell gibt, mit dem sich ein ähnlich hoher Grad an Selbstkenntnis erlangen läßt. Kein anderes Modell verschafft einem so tiefen Einblick in die eigenen seelischen Vorgänge.

Was die Nachteile angeht, so gibt es deren mindestens zwei. Zum einen dauert die Psychoanalyse schlicht zu lang, was das ganze anstrengend und unökonomisch werden läßt, und zwar nicht nur in finanzieller Hinsicht. Irgendein Analytiker hat mir mal gesagt, daß die Therapie ein Drittel der Zeit dauern sollte, die der Patient bei Therapiebeginn als Lebenszeit ausweisen kann. Zum zweiten muß die therapeutische Wirkung bei diesem Modell in Frage gestellt werden. Ich persönlich zweifle zum Beispiel daran, daß man je genug Selbstkenntnis erreichen kann, um sein Leben völlig umzukrempeln, eingefahrene Verhaltensweisen zu verändern oder das Problem aus der Welt zu schaffen, dessentwegen man eine Therapie begonnen hat.

Das andere Extrem, denke ich, sind die psychotherapeutischen Schulen, die ihr Augenmerk vorwiegend auf die Zukunft richten. Diese Strömungen sind momentan sehr in Mode, und man kann ihren Ansatz vielleicht so zusammenfassen: Das eigentliche Problem ist: daß der Patient anders handelt, als er handeln müßte, um die Ziele zu erreichen, die er sich gesteckt hat. Deshalb besteht die Aufgabe nicht darin, herauszufinden, warum die Dinge bei ihm so sind, wie sie sind – die sind nun einmal so –, und auch nicht darin, das leidende Individuum zu ergründen. Es gilt, den Patienten dazu zu befähigen, daß er das erreicht, was er sich vorstellt, bzw. daß er dort hingelangt, wo er sich gerne sehen würde; er soll lernen, seine Ängste zu überwinden, um ein produktiveres und positiveres Leben führen zu können.

Diese Strömung, vor allem vertreten durch die Behavioristen, propagiert die Idee, daß man neue Verhaltensweisen nur erlernen kann, indem man sie ausprobiert, eine Sache, die der Patient nur schwer ohne Hilfe, ohne Anleitung von außen unternehmen kann. Diese Hilfe wird bevorzugt von einer Fachperson geleistet, die einem zeigt, welches die angemessenen Verhaltensweisen sind, die konkrete Handlungsvorschläge macht und den Patienten während dieses Prozesses der gewünschten Rekonditionierung begleitet.

Die Grundfrage, die sich die Therapeuten dieser Strömung stellen, ist nicht *warum?*, sondern *wie?* Wie kann ich
das gewünschte Ziel erreichen?

Auch diese Schule hat Vor- und Nachteile. Der erste
Vorteil ist, daß die Technik unglaublich effektiv ist, der
zweite, daß die Sache so schnell geht. Einige amerikanische
Neobehavioristen sprechen schon von Therapien, die nicht
länger dauern als ein bis fünf Sitzungen. Der offensicht-
lichste Nachteil ist aus meiner Sicht die Oberflächlichkeit
dieser Behandlung: Der Patient gerät nie an den Punkt, an
dem er sich oder seine eigenen Ressourcen kennenlernt. Die
Therapie bleibt also immer darauf beschränkt, nur gerade
das akute Problem zu lösen, das ihn zur Therapie gebracht
hat und somit auch in die enge Abhängigkeit von seinem
Therapeuten führt. Das ist ja nicht an sich verwerflich,
aber es gibt dem Patienten nicht ausreichend Mittel an die
Hand, mit sich selbst in Kontakt zu kommen, was allerdings unerläßlich ist.

Die dritte Linie ist, historisch gesehen, die jüngste der
drei. Zu ihr gehören all die psychotherapeutischen Schulen, die sich mit der Gegenwart des Patienten befassen.

Wir gehen, grob gesagt, weder von der Idee aus, den
Ursprung des Leidens untersuchen zu müssen, noch emp-
fehlen wir Verhaltensweisen, dem Leid zu entkommen.
Vielmehr soll herausgefunden werden, was in der Person,
die sich an den Therapeuten gewandt hat, vor sich geht,
und wozu sie in eine solche Situation hineingeraten ist.

Wie du weißt, ist das die Linie, nach der auch ich mich
entschlossen habe zu arbeiten, und deswegen halte ich sie

natürlich für die beste. Dennoch gebe ich zu, daß auch dieser Weg Vor- und Nachteile birgt.

Die Therapie ist vergleichsweise kürzer als eine klassische Psychoanalyse, aber immer noch länger als die der Neobehavioristen. Sie dauert in der Regel zwischen sechs Monate und zwei Jahre. Ohne den Tiefgang der klassischen Analyse zu besitzen, liefert sie doch eine gehörige Portion Selbsterkenntnis, und man lernt recht gut, mit sich selbst umzugehen.

Andererseits, so gut sie auch dazu dient, den Kontakt mit der gegenwärtigen Realität aufzunehmen, kann sie den Patienten ebenso leicht verleiten, eine lässige Aussteigerhaltung einzunehmen, eine Haltung, die ihn unbekümmert den Augenblick leben läßt und die mit dem Gegenwartskonzept dieser Schule nichts am Hut hat, das natürlich gleichermaßen auf Erfahrungen beruht und Zukunftspläne als äußerst wichtig erachtet.

Es gibt einen sehr alten Witz, mit dem sich die drei Strömungen gut veranschaulichen lassen. Die Grundsituation ist denkbar simpel und immer die gleiche, aber ich gestatte mir, mich ein bißchen über die drei Denkrichtungen lustig zu machen, und werde dir drei verschiedene Schlüsse erzählen.«

Ein Mann leidet an Enkropesis, zu deutsch: er scheißt sich in die Hose. Er geht zu seinem Hausarzt, der nach gründlicher Untersuchung keinen physischen Grund für sein Problem findet, also rät er ihm, sich an einen Psychotherapeuten zu wenden.

Erstes Ende:

Der Mann geht zu einem klassischen Psychoanalytiker.

Fünf Jahre später trifft er einen Freund.

»Hallo. Na, was macht deine Therapie?«

»Phantastisch!« antwortet der Mann euphorisch.

»Scheißt du dir jetzt nicht mehr in die Hose?«

»Doch, ich scheiß mir immer noch in die Hose, aber jetzt weiß ich wenigstens, warum!«

Zweites Ende:

Der Mann geht zum Behavioristen.

Fünf Tage später trifft er einen Freund.

»Hallo, was macht deine Therapie?«

»Wahnsinn«, antwortet der Mann begeistert.

»Scheißt du dir jetzt nicht mehr in die Hose?«

»Doch, aber inzwischen trage ich Gummihosen!«

Drittes Ende:

Der Mann geht zu einem Gestalttherapeuten.

Fünf Monate später trifft er einen Freund.

»Hallo, was macht deine Therapie?«

»Fabelhaft!« antwortet der Mann begeistert.

»Scheißt du dir jetzt nicht mehr in die Hose?«

»Doch, ich scheiß mir immer noch in die Hose, aber jetzt ist es mir egal!«

»Ganz schön apokalyptisch, die Vision, die du da entwirfst«, versuchte ich einzuwenden.

»Kann schon sein, trotzdem handelt es sich um eine

reale Apokalypse. So real wie die Tatsache, daß deine Sitzung jetzt zu Ende ist.«

Selten habe ich einen Menschen so sehr zum Teufel gewünscht wie Jorge.

DER VERGRABENE SCHATZ

Aus der letzten Sitzung war ich ziemlich beunruhigt, um nicht zu sagen besorgt, nach Hause gegangen. Egal, was für einem Therapeuten der arme Mann in die Hände fiel, er schiß sich noch immer in die Hose. Ich sah mich gezwungen, meine eigene Entscheidung für eine Therapie neu zu überdenken. Ich ging jedenfalls nicht in die Sitzung, bloß um das Warum zu kapieren, und auch nicht, um später Gummihosen zu tragen oder dahin zu gelangen, wo mir alles egal war. Also, wenn das alles war, was man mit diesem Aufwand an Zeit und Geld erreichen konnte, dann konnte mir die Sache genausogut gestohlen bleiben.

»Mal weg von der Frage der therapeutischen Schulen, Jorge. Mein jetziges Problem ist: Wozu bin ich eigentlich noch hier?«

»Leider weiß ich die Antwort darauf nicht. Diese Frage kannst du dir nur selbst beantworten.«

»Ich bin ganz durcheinander. Bis zur letzten Sitzung war ich vom Nutzen einer Psychotherapie fest überzeugt. Ich war einer von denen, die all ihre Freunde zur Therapie schicken wollen. Und dann sagt mir mein eigener Therapeut, daß ein Mann, der sich einkackt und angeschlagen, deprimiert und verrückt, wie er ist, zur Therapie kommt, genauso angeschissen, gestört, traurig und plemplem wieder nach Hause geht. Jetzt versteh ich gar nichts mehr.«

»Es nützt gar nichts, sich gegen diese Verwirrung zu stemmen. Dich stört dieser Zustand, weil du glaubst, immer alles verstehen zu müssen. Du darfst dich nicht verwirren lassen, du mußt auf alles eine Antwort parat haben, du mußt, du mußt... Entspann dich, Demian. Ich habe dir schon einmal gesagt, in der Gestalttherapie gibt es nur ein einziges Muß, und zwar dies:

Du mußt wissen, daß du gar nichts mußt.«

»Das ist richtig. Aber auch ohne Muß brauche ich Antworten, die ich nicht habe.«

»Soll ich dir eine Geschichte erzählen?«

An diesem Tag sperrte ich meine Ohren auf wie noch nie. Ich wußte, daß eine Erzählung, eine Parabel, sogar ein Witz von Jorge mir schon oft geholfen hatten, wieder Klarheit in mein Chaos zu bringen.

IN KRAKAU LEBTE einmal ein frommer, alleinstehender alter Mann namens Izy. Ein paar Nächte hintereinander träumte Izy, er reise nach Prag und gelange dort an eine Brücke über einen Fluß. Er träumte, an einem Ufer des Flusses unter der Brücke stehe ein üppiger Baum. Er träumte, daß er gleich neben dem Baum zu graben anfing und auf einen Schatz stieß, der ihm Wohlstand und Sorglosigkeit bis an sein Lebensende sicherte.

Anfangs maß Izy diesem Traum keine Bedeutung bei. Aber nachdem sich dieser wochenlang wiederholt hatte, deutete er ihn als Botschaft und beschloß jene Nachricht, die ihm womöglich von Gott oder von sonstwem geschickt worden war, nicht weiter unbeachtet zu lassen.

Er folgte also seiner Eingebung, belud sein Maultier mit Gepäck für eine lange Reise und machte sich auf den Weg nach Prag.

Sechs Tage später traf der Alte in Prag ein und begab sich gleich auf die Suche nach der Brücke über den Fluß am Rande der Stadt.

Es gab nicht viele Flüsse und auch nicht viele Brücken, so daß er den gesuchten Ort schnell fand. Alles war genau wie in seinem Traum: der Fluß, die Brücke, das Flußufer, der Baum, unter dem er graben mußte.

Nur eins war in seinem Traum nicht vorgekommen: Die Brücke wurde Tag und Nacht von einem Soldaten der kaiserlichen Garde bewacht.

Izy wagte es nicht, zu graben, solange der Soldat dort oben Wache schob, also schlug er in der Nähe der Brücke sein Lager auf und wartete erst einmal ab. In der zweiten Nacht begann der Soldat Verdacht zu schöpfen, und er fragte den Alten, der da am Flußufer kampierte, nach seinem Vorhaben.

Der hatte keinen Grund, ihm eine Lüge aufzutischen, und so erzählte er dem Wachmann, er habe diese weite Reise unternommen, weil er geträumt habe, daß hier in Prag unter einer gewissen Brücke ein Schatz vergraben liege.

Der Wachmann brach in schallendes Gelächter aus.

»Eine so lange Reise wegen nichts und wieder nichts«, sagte er. »Ich träume seit drei Jahren jede Nacht, daß in Krakau unter der Küche eines verrückten Alten namens Izy ein Schatz vergraben liegt. Ha, ha, ha, ha, ha. Denkst du, ich sollte nach Krakau reisen, um diesen Izy aufzusuchen und unter seiner Küche zu graben anfangen? Ha, ha, ha.«

Izy bedankte sich freundlich beim Gardisten und trat die Heimreise an.

Zu Hause angekommen, grub er unter seiner Küche ein Loch und fand den Schatz, der schon ewig dort verborgen lag.

Als die Geschichte zu Ende war, machte der Dicke eine lange Pause, irgendwann läutete es an der Tür. Sein nächster Patient war gekommen.

Jorge nahm mich in den Arm, drückte mir einen Kuß auf die Stirn, und ich ging.

Ich ließ mir die Sitzung noch einmal durch den Kopf gehen. Am Anfang des Gesprächs hatte der Dicke mir selbst gesagt, was er mir mit seiner Geschichte klarmachen wollte: »Die Antwort auf deine Fragen hab nicht ich, sondern du.«

Die Antworten würde ich in mir selbst finden. Nicht bei Jorge, nicht in schlauen Büchern, nicht in der Therapie oder bei Freunden. In mir selbst! Nur in mir selbst!

Wie in der Geschichte von Izy: der Schatz, den ich suchte, lag hier und nirgendwo sonst.

›Nirgendwo sonst‹, wiederholte ich ein ums andere Mal für mich, ›nirgendwo sonst.‹

Und plötzlich wußte ich Bescheid: Niemand würde mir sagen können, ob die Therapie etwas bringt oder nicht. Nur ich konnte wissen, ob sie *mir* etwas brachte, und diese Antwort galt nur für mich und nur jetzt, in diesem Moment. Auf einmal begriff ich, daß ich einen großen Teil meines Lebens damit vertan hatte, jemanden zu finden, der mir sagt, was gut und was schlecht sei. Ich hatte nach anderen Menschen gesucht, um mich in ihrem Blick selbst zu finden. Ich hatte außerhalb gesucht, was in Wirklichkeit die ganze Zeit in mir selbst verborgen gewesen war, quasi unter meiner eigenen Küche.

Jetzt hatte ich herausgefunden, daß die Therapie nichts weiter als ein Werkzeug war, mit dem man am richtigen Ort graben konnte, um den verborgenen Schatz zum Vorschein zu bringen. Der Therapeut ist nichts anderes als der Wachmann, der auf seine Weise sagt, wo du graben mußt, und ständig wiederholt, daß es nutzlos ist, woanders zu suchen.

Die Verwirrung hatte sich aufgelöst, und wie Izy fühlte ich mich ruhig und glücklich, endlich zu wissen, daß der Schatz bei mir lag, daß er schon immer dort war und daß man ihn unmöglich verlieren konnte.

WEGEN EINES KRUGS WEIN

Damals kam es mir vor, als hinge jede Sitzung direkt
mit der vorausgegangenen zusammen, wie die Glie-
der einer Kette. Ich war dermaßen zufrieden, daß ich kaum
glauben konnte, auf was ich alles selbst kam.

Und egal, ob meine Entdeckungen von Freude oder von
Trauer, von Lachen oder Weinen begleitet waren, ich hatte
begriffen, daß jede von ihnen mich ein Stückchen weiter
brachte in meinem Seelenfrieden und im Vertrauen auf
meine eigenen Fähigkeiten, kurz: dem, was ich heute
»Glück« nennen würde.

Alles lief gut. Dann aber keimte plötzlich der Gedanke
in mir auf, wie wenig es doch nutzte, sich Klarheit über
sich selbst zu verschaffen, wenn der Rest der Welt weiterhin in finsterster Ignoranz vor sich hin dämmerte und auch
gar keinen Anlaß sah, etwas daran zu ändern. Ich fühlte
mich zunehmend machtlos und begann allmählich wütend
zu werden. Aber ich machte weiter.

Ich muß zugeben, ich kam ganz gut klar mit diesem
Marsmenschengefühl, das daher rührte, daß ich mich als
anders betrachtete als den Rest. Was nützte es auch der All-
gemeinheit, wenn ein einzelner Mensch auf der Welt, mei-
netwegen auch zehn oder hundert, für sich die Dinge etwas
zurechtgerückt hatten?

Da kam mir mein Onkel Roberto in den Sinn. Auch er hatte irgendwann mal eine Therapie angefangen. Seinen Worten zufolge war sie gut gelaufen. Sehr gut sogar. Aber ein paar Monate nach Behandlungsbeginn konstatierte er seinem Therapeuten: »Gehen wir mal davon aus, daß jetzt etwa zehn Prozent des Weges hinter mir liegen. In der Zeit, in der ich also einen Entwicklungsfortschritt von zehn Prozent gemacht habe, haben fünfzig Prozent meiner ehemaligen Bekannten den Kontakt zu mir abgebrochen. Laut Wahrscheinlichkeitsrechnung werden sich demnach, sobald ich dreißig Prozent des Wegs erreicht habe, neun von zehn meiner Freunde von mir abgewandt haben. In meinen Augen lohnt es sich nicht, gesünder zu werden, wenn es zur Folge hat, daß man schließlich einsamer dasteht als Robinson Crusoe ohne Freitag. Vielen Dank für alles und auf Wiedersehen!«

Mit diesen Gedanken kam ich also in die nächste Stunde. Ich stellte Therapien als solche in Frage, vor allem aber die Aufgabe der Therapeuten, ich mißtraute ihnen allen. Ausgenommen Jorge, denn der stand gerade hoch bei mir im Kurs.

»Wie lange dauert die Ausbildung eines guten Therapeuten? Nehmen wir mal dich als Beispiel: Wenn man die Schulzeit wegläßt, dann hast du also sechs Jahre Medizin studiert, fünf Jahre Facharzt-Spezialisierung, drei Jahre psychotherapeutische Fort- und Weiterbildung gemacht, zehn Jahre eigene Therapie hinter dir und ich weiß nicht wie viele Lehranalysen, dazu kommen mindestens zehn

Jahre Berufspraxis, um die theoretische Ausbildung mit praktischer Erfahrung zu ergänzen. Uff, ich mag gar nicht nachrechnen.«

»Keine Ahnung, worauf du hinauswillst, aber ich kann dir sagen, daß es damit noch nicht sein Bewenden hat. Die Ausbildung ist längst nicht abgeschlossen, sie dauert an und wird wahrscheinlich niemals zu Ende sein.«

»Das bestätigt mich nur. Und der ganze Aufwand, um während eines gesamten Berufslebens vielleicht ein paar Hundert Leute zu behandeln, was bei deinen kurzen Therapien ja durchaus drin ist. Bei anderen reden wir von etwa zwanzig Patienten. Das steht doch in keinem Verhältnis. Vom sozialen Gesichtspunkt betrachtet, hat dein Beruf keinen Sinn.«

»Manches Jahr in dieser langen Studien- und Vorbereitungsphase, von der du sprichst, habe ich damit zugebracht, Geschichten zu lesen, die andere geschrieben haben, oder Märchen zu hören, aus denen die Weisheit des Volksmundes spricht. Um mir darin ein bißchen treu zu bleiben, werde ich dir jetzt eins von diesen Märchen erzählen, denn ich glaube, jetzt ist genau der richtige Moment dafür gekommen.«

ES WAR WIEDER einmal – ein König.

Er war der Herrscher über ein kleines Land, dem Fürstentum von Uvilandia. Sein Reich war voller Weinberge, und alle seine Untertanen widmeten sich dem Weinbau. Mit dem Weinexport in ferne Länder verdienten die fünfzehntausend Familien Uvilandias genügend

Geld, um einigermaßen über die Runden zu kommen, die Steuern zu zahlen und sich hin und wieder etwas Besonderes zu gönnen.

Es war nun schon ein paar Jahre her, da überprüfte der König die Reichsfinanzen. Der Monarch war ein gerechter und rücksichtsvoller Mann, und der Gedanke, Hand an den Geldbeutel der Bewohner Uvilandias zu legen, gefiel ihm ganz und gar nicht. Deshalb suchte er verzweifelt nach Wegen, die Steuern zu senken.

Eines Tages hatte er eine grandiose Idee: Der König beschloß, die Steuern ganz abzuschaffen. Als einzigen Beitrag zur Deckung der Staatskosten verlangte er von jedem seiner Untertanen einmal pro Jahr zur Zeit, da der Wein auf Flaschen gezogen wurde, in den Palastgarten zu kommen und einen Krug mit einem Liter vom besten Wein der Lese in ein großes Faß zu leeren, das extra zu diesem Zweck angefertigt werden würde.

Der Ertrag aus dem Verkauf dieser fünfzehntausend Liter Wein sollte dazu dienen, die Ausgaben des Hofes zu decken und die Kosten des allgemeinen Gesundheits- und Bildungswesens zu begleichen.

Über Plakate und Bekanntmachungen in den Hauptstraßen verbreitete sich die Nachricht schnell im ganzen Königreich. Die Freude der Leute war unbeschreiblich. In sämtlichen Häusern ließ man den König hochleben und sang sein Loblied.

In allen Tavernen hob man das Glas und stieß auf das Wohl und ein langes Leben des großherzigen Königs an.

Dann kam der Tag der Beitragszahlung. Schon die

ganze Woche lang hatte man sich auf den Märkten, Plätzen und in den Kirchen gegenseitig ermahnt, den großen Tag nicht zu versäumen. Im treuen Zusammenhalt des Volkes sollte die großzügige Geste des Souveräns ihre angemessene Vergütung finden.

Seit dem Morgengrauen kamen die Familien von den Weinbergen aus dem gesamten Königreich herab, den Krug fest in der Faust des Familienoberhaupts. Einer nach dem anderen kletterte die große Leiter zum Tonnenrand hinauf, leerte seinen Krug in die riesige Öffnung und stieg über eine zweite Leiter wieder hinab, an deren Ende der Schatzmeister des Königs jedem der Bauern ein Abzeichen mit dem Siegel des Königs ans Revers heftete.

Am Nachmittag, als der letzte Bauer seinen Krug geleert hatte, wußte man, daß keiner gekniffen hatte. Das Fünfzehntausend-Liter-Faß war randvoll. Jeder einzelne Untertan war rechtzeitig in den Garten des Königs gekommen und hatte seinen Krug in die Tonne geleert.

Der König war stolz und zufrieden. Bei Sonnenuntergang, als sich das Volk auf dem Platz vor dem Palast versammelt hatte, trat der Monarch unter Beifall auf seinen Balkon, und ein allgemeines Wohlgefühl machte sich breit. In einem wunderschönen Kristallkelch, einem Erbstück seiner Vorfahren, sandte der König nach einem Probierschluck des gesammelten Weins, und bis der eintraf, sprach er die folgenden Worte:

»Wunderbares Volk von Uvilandia: Wie vereinbart, haben sich alle Einwohner des Reiches heute vor dem Palast eingefunden. Mit großer Freude nimmt die Krone zur

Kenntnis, daß die Treue des Volkes gegenüber seinem König ebenso groß ist wie die des Königs gegenüber seinem Volk. Ich wüßte keinen besseren Beweis hierfür, als euch zu danken mit dem ersten Schluck dieses wunderbaren Göttertranks aus den besten Trauben der Welt, kultiviert von den besten Händen und begossen mit all dem Guten dieses Königreichs, das heißt, mit der Liebe des Volkes.«

Alle wischten sich Tränen der Rührung aus den Augen und ließen den König hochleben.

Einer der Bediensteten brachte den Kelch, und der König hob ihn, um dem heftig applaudierenden Volk zuzuprosten. Überrascht verharrte seine Hand in der Luft: der Inhalt des Kelches war farblos und durchsichtig. Langsam näherte sich die königliche Nase dem Wein, um das Bouquet der besten Trauben zu riechen, und hatte die Bestätigung: der Wein roch nach nichts. Als erfahrener Weinkoster nahm er einen kleinen Schluck.

Der Wein schmeckte weder nach Wein noch nach sonst irgend etwas.

Der König schickte nach einem zweiten Glas aus dem Faß, dann nach einem weiteren, und zuletzt wollte er selbst eine Probe vom oberen Rand des Fasses nehmen. Aber es blieb dabei: der Wein hatte weder Geruch noch Farbe, noch hatte er Geschmack.

Eilig wurden die Alchemisten des Königreichs herbeigerufen, um die Zusammensetzung des Weins zu untersuchen. Ihr Schluß war eindeutig: das Faß war voll Wasser. Hundertprozentigem, reinem Wasser.

Sofort sandte der König nach den Weisen und Magiern des Reiches, damit sie ihm eine Erklärung für dieses Rätsel brachten. Welche Beschwörungsformel, welche chemische Reaktion oder welcher Zaubertrank hatten diesen Wein in Wasser verwandelt?

Da kam der älteste Staatsminister und sagte laut und vernehmlich: »Wunder? Beschwörung? Alchemie? Nichts dergleichen, mein Herr, nichts davon. Eure Untertanen sind Menschen, Majestät. Das ist alles.«

»Ich verstehe nicht«, sagte der König.

»Nehmen wir zum Beispiel Juan«, sagte der Minister. »Juans Weinberg reicht vom Berg bis hinab zum Fluß. Seine Trauben stammen von den besten Reben des Königreichs, und sein Wein ist immer als erster ausverkauft, und zwar zu einem anständigen Preis.

Heute morgen, als er sich bereit machte, mit seiner Familie ins Dorf zu kommen, hatte er eine Idee: Und wenn sie Wasser statt Wein ins Faß schütteten? Wem würde der Unterschied schon auffallen?

Ein einziger Krug Wasser unter fünfzehntausend Litern besten Weins: Kein Mensch würde es merken. Niemand!

Und niemand hätte es bemerkt, wäre da nicht ein Detail gewesen, ein winziges Detail, Majestät.

So wie Juan haben alle gedacht!«

ALLEIN ODER IN BEGLEITUNG

Wie schaffte Jorge das bloß, daß seine Sitzungen fast immer genau am Schluß einer Geschichte endeten? Wie gelang es ihm, mir eine Idee in den Kopf zu setzen, die mich die ganze Woche auf Trab hielt?

Manchmal fand ich das wunderbar. Ich hatte sieben lange Tage, um über diese Geschichte nachzudenken, sie zu interpretieren und hin und her zu überlegen, welche Lehre ich für mich daraus ziehen konnte.

Aber manchmal machte es mich auch rasend, wenn es mir nicht gelang, zum Kern der Sache vorzustoßen, von dem ich genau spürte, daß er eine wichtige Botschaft für mich enthielt.

Bisweilen führte ich mich ganz und gar unmöglich auf, nämlich dann, wenn ich aus der Praxis kam und versuchte zu verstehen, was mir Jorge mit der Geschichte hatte sagen wollen. Das folgende war dann unvermeidlich: Ich kam in die nächste Sitzung, um dem Dicken zu beweisen, daß ich die Bedeutung der Geschichte erraten hatte, was ihn, wie zu erwarten war, fuchsteufelswild machte.

»Welche Rolle spielt es, was ich mit der Geschichte sagen wollte? Wenn sie überhaupt eine Aussage hat, dann nur die, die sie für dich hat. Das hier ist kein Schulunterricht, und ich bin nicht derjenige, der überprüft, ob du brav herausgefunden hast, was ich hiermit oder damit sagen wollte, verdammt noch mal. Wenn ich etwas sage, meine ich genau das, was ich sage, und wenn ich etwas anderes hätte sagen wollen, hätte ich mit Sicherheit etwas anderes gesagt. Demian, mit dieser Einstellung benutzt du die Geschichte nur dazu, dein Ego unter Beweis zu stellen und deine Eitelkeit zu pflegen. Du denkst: Jawohl, ich bin drauf gekommen. Ich hab's kapiert. Ich hab die Botschaft der Geschichte begriffen. Ja, ich bin ein Idiot.«

Die Geschichte vom Wein, der sich in Wasser verwandelt, hatte eine Menge Dinge in mir ausgelöst. Als erstes stellte ich fast erleichtert fest, daß ich mich getäuscht hatte, als ich annahm, der therapeutische Auftrag endete bei mir selbst oder bei jedem Patienten für sich. Dem war nicht so, im Gegenteil, um es mit den Worten des Dicken zu sagen: »Jeder sich entwickelnde Mensch kann auch Lehrer sein, ein kleiner Meister, der Auslöser einer Kettenreaktion, die die Welt verändern kann.«

Als ich daran dachte, wurde mir noch etwas anderes bewußt: Wie oft ließ ich mich, wie viele andere Menschen, von dem Gedanken abschrecken, etwas zu unternehmen sei sowieso aussichtslos, man brauche es gar nicht erst versuchen, denn es nütze ja eh nichts? Wer würde es schon merken, wenn ich mich anders verhalten würde, anders als all diejenigen in der letzten Geschichte?

Wenn ich mich anders verhalten würde...

Und wenn vielleicht nur eine einzige Person es wagt

und auch so denkt wie ich, sich von meinem Verhalten anstecken läßt, oder bescheidener ausgedrückt, vielleicht merkt jemand, daß es ein abweichendes Verhalten ist, und wird sich bewußt, daß man sich auch anders verhalten kann. Wenn ich mich also anders verhalten würde, anders als sonst, anders als die anderen, vielleicht würden sich dann mit der Zeit auch die Dinge ändern.

Und dann fiel mir wieder ein, was ja ständig um uns herum geschieht:

Die Leute zahlen ihre Steuern nicht, was macht das schon?

Die Leute sind unfreundlich, wer merkt schon den Unterschied?

Die Leute sind rücksichtslos, wer will schon der einzige Anstandsdepp sein?

Die Leute amüsieren sich nicht, weil es peinlich ist, als einziger zu lachen.

Die Leute fangen bei Partys nicht zu tanzen an, bevor es nicht jemand anders tut.

Wir sind nur nicht noch blöder, weil wir nicht mehr Zeit haben.

Wenn ich mir selbst treu sein könnte, aufrichtig und dauerhaft treu, könnte ich auch anderen gegenüber viel freundlicher, herzlicher, großzügiger und netter sein.

Über all diese Dinge redete ich damals mit Jorge, und dabei drängte sich mir immer wieder das Bild auf, allein dazustehen, allein und dem spöttischen Blick der Leute ausgesetzt...

Oder noch schlimmer wär's, sie würden nicht mal mehr schauen!

»Vor ein paar Jahren«, begann der Dicke, »schrieb ich einen Essay, der mit dem Satz begann: Der Geburtskanal und der Sarg sind nur für einen einzigen Körper beschaffen.

Für mich heißt das, daß wir allein auf die Welt kommen und allein sterben, Demian. Und für mich ist das einer der schrecklichsten Gedanken, die ich im Lauf meiner eigenen Entwicklung lernen mußte zu akzeptieren.

Zum Glück habe ich aber auch erfahren, daß es Reisegefährten gibt: Kurzzeitgefährten und Begleiter auf einer mehr oder weniger langen Strecke. Und dann sind da noch die Freunde, Geliebten, Geschwister, eben die, die dich dein ganzes Leben lang begleiten.«

»Weißt du was, Dicker? Dazu fällt mir gerade etwas ein, das ich über Paare gelesen habe: Geh nicht vor mir her, denn ich könnte dir nicht folgen. Geh nicht hinter mir, ich könnte dich verlieren. Geh nicht unter mir, ich könnte auf dich pinkeln. Geh nicht über mir, denn ich könnte dich als Last empfinden. Geh an meiner Seite, denn wir sind einander ebenbürtig.«

»Genau so ist es, Demian. Man muß erkennen, daß niemand den Weg an deiner Stelle gehen kann. Und ebenso wichtig ist es zu wissen, daß es viel ergiebiger ist, wenn man den Weg zu zweit zurücklegt.

Zu wissen, wer ich bin, und mich als einzelnen zu begreifen, von der Welt unterschieden und abgegrenzt, allein durch meine Haut, muß nicht heißen, daß ich isoliert oder verlassen leben müßte, und erst recht nicht, daß ich mir selbst genügen müßte.«

»Also kann man nicht ohne die anderen leben?«

»Kommt drauf an, welchen Anspruch du an dein Leben hast und wer in diesem Fall die anderen sind.«

Es war da einmal ein Mann, der viel gereist war. Im Laufe seines Lebens hatte er Hunderte existierende und auch imaginäre Länder besucht.

Eine Reise, die sich ihm tief eingebrannt hatte, war sein kurzer Aufenthalt im Land der langen Löffel. Rein zufällig war er an dessen Grenze gelangt, denn auf dem Weg von Uvilandia nach Paraís hatte es eine Umleitung gegeben. Als abenteuerlustiger Mensch entschied er sich für einen kleinen Abstecher. Die kurvenreiche Straße endete an einem großen allein stehenden Haus. Als er näher kam, bemerkte er, daß das Gebäude einen Ost- und einen Westflügel hatte. Er parkte und ging auf das Haus zu. An der Tür hing ein Schild mit der Aufschrift:

Land der langen Löffel

Dieses kleine Land besteht nur aus zwei Zimmern,
namens *Schwarz* und *Weiß*. Um es zu bereisen,
braucht man nur den Gang entlangzugehen,
bis dorthin, wo er sich gabelt.
Möchte man das *schwarze* Zimmer besuchen,
dann wende man sich nach rechts,
möchte man das *weiße* kennenlernen,
so wende man sich nach links.

Der Mann ging den Gang entlang und bog einer Laune folgend zunächst nach rechts ab. Ein weiterer Gang von etwa fünfzig Metern Länge führte zu einer großen Tür. Bereits nach ein paar Schritten hörte er ein Ächzen und Stöhnen, das aus dem schwarzen Zimmer drang.

Einen Moment lang zögerte er ob dieser Leidens- und Schmerzbekundungen, doch dann faßte er sich ein Herz und ging weiter. Er kam an die Tür, öffnete sie und trat ein.

Um einen riesigen Tisch herum waren etwa hundert Menschen versammelt. Auf dem Tisch standen die feinsten Speisen, die man sich nur vorstellen konnte, und obwohl jeder der Anwesenden einen Löffel hatte, mit dem er sie erreichen konnte, starben die Leute fast vor Hunger! Der Grund war: die Löffel waren doppelt so lang wie ihre Arme, und sie waren an den Händen befestigt. So konnte sich zwar jeder der Speisen bedienen, aber niemand konnte seinen Löffel zum Mund führen.

Die Lage war hoffnungslos und das Wehklagen so herzzerreißend, daß der Mann sich auf dem Absatz umdrehte und die Flucht ergriff.

Er kehrte in den Hauptsaal zurück und schlug nun den Weg in den linken Gang ein, der in das weiße Zimmer mündete. Ein gleicher Gang wie der vorherige endete vor einer ähnlichen Tür. Der einzige Unterschied war, daß man unterwegs kein Klagen und Weinen hörte. Vor der Tür angelangt, drückte der Reisende auf die Klinke und betrat das Zimmer.

Auch hier saßen etwa hundert Personen um einen

ähnlichen Tisch herum wie im schwarzen Zimmer. Auch dort befanden sich ausgesuchte Speisen auf dem Tisch, und jeder Anwesende hatte einen langen Löffel, der an seiner Hand festgemacht war.

Aber hier beklagte sich niemand, und niemand lamentierte. Niemand war sterbenshungrig, nein, denn: Man fütterte sich gegenseitig!

Der Mann lächelte, machte kehrt und verließ das weiße Zimmer. Als er die Tür hinter sich ins Schloß fallen hörte, befand er sich seltsamerweise in seinem eigenen Auto auf dem Weg nach Paraís.

DIE TAUBE EHEFRAU

Kaum hatte ich mich hingesetzt, begann ich auch schon zu reden. An diesem Tag war mir völlig klar, woran ich arbeiten wollte: die Streitereien mit meiner Lebensgefährtin.

»Ich glaube, Gabriela ist völlig von Sinnen.«

»Von was?«

»Von Sinnen ... Übergeschnappt, abgedreht, ein verrücktes Huhn.«

»Und zwar weshalb?«

»Die ganze Woche lang haben wir über die Ferien diskutiert. Mit dem Ergebnis, daß Gabriela den gesamten Monat in Uruguay bei ihren Eltern verbringen will, die uns eingeladen haben. Und ich will nicht hin, weil ich meinen Urlaub lieber mit ein paar Freunden vom Klub hier in Argentinien verbringen will. Ich weiß, daß es ihr hier viel besser gefallen würde, aber sie ist ganz besessen von der Idee mit Uruguay. Und es raubt mir den letzten Nerv, wenn Gabriela sich was in den Kopf gesetzt hat. Sobald ich das merke, schalte ich auf stur. Bis dann der Zeitpunkt kommt, an dem ich nicht mehr mit ihr reden kann, weil ich das Gefühl habe, daß sie absolut nicht dazu in der Lage ist, sich auch nur ein Stück weit auf die Meinung von jemand anderem einzulassen.«

»Und warum will sie lieber nach Uruguay?«

»Einfach so. Eine Schnapsidee.«

»Aber für sie ist es keine Schnapsidee, oder?«

»Nein, sie sagt, daß sie nach Uruguay will.«

»Und du hast sie nicht gefragt, warum?«

»Natürlich hab ich sie gefragt, aber ich erinnere mich nicht mehr an den Schwachsinn, den sie mir geantwortet hat.«

»Sag mal, Demian. Wenn du dich nicht mehr an ihre Antwort erinnerst, wie kannst du dann behaupten, daß sie schwachsinnig war?«

»Weil Gabriela, hat sie sich erst einmal was in den Kopf gesetzt, keine Gründe mehr braucht und einfach irgendwas behauptet. Alles, was der andere dann sagt, wischt sie beiseite und läßt nur ihre eigenen Argumente gelten.«

»Sie wischt deine Argumente beiseite.«

»Ja.«

»Sie sagt zum Beispiel, daß das Blödsinn ist und du ein Dickschädel bist...«

»Ganz genau.«

»Oder daß du nur lauter Schnapsideen hast.«

»Ja, das auch. Woher weißt du...?«

»Gestern hat mir jemand einen Witz erzählt.«

EIN MANN RUFT den Hausarzt der Familie an.

»Hallo Ricardo, hier ist Julian.«

»Hallo. Was gibt's Neues, Julian?«

»Du, ich mach mir Sorgen um Maria.«

»Wieso, was ist mit ihr?«

»Ich glaube, sie wird taub.«

»Wie, sie wird taub?«

»Ja, wirklich. Du mußt sie dir mal ansehen.«

»In Ordnung, da Taubheit keine akut lebensbedrohliche Krankheit ist, bring sie doch am Montag zu mir in die Sprechstunde, und ich seh sie mir einmal an.«

»Glaubst du wirklich, das hat Zeit bis Montag?«

»Woran ist dir denn aufgefallen, daß sie nichts hört?«

»Tja... sie antwortet nicht, wenn ich sie rufe.«

»Verstehe, das kann alles mögliche sein, zum Beispiel ein Pfropfen im Ohr. Laß uns doch mal ausprobieren, wie schwerhörig Maria tatsächlich ist. Wo bist du gerade?«

»Im Schlafzimmer.«

»Und wo ist sie?«

»In der Küche.«

»Gut. Ruf sie doch einfach her.«

»Mariaaaaaa...! Nein, sie hört mich nicht.«

»In Ordnung. Geh mal zur Schlafzimmertür und ruf auf den Flur hinaus.«

»Mariaaaaaa...! Keine Chance.«

»Warte, nicht aufgeben. Nimm das schnurlose Telefon und geh damit durch den Flur auf sie zu, damit wir sehen, wann sie dich hört.«

»Mariaaaaaa...! Mariaaaaaaaa...! Mariaaaaaaaaaa...! Nichts zu machen. Ich steh vor der Küchentür und sehe sie. Sie dreht mir den Rücken zu und spült ab, aber sie hört mich nicht. Mariaaaaaaaaaa...! Aussichtslos.«

»Geh näher ran.«

Der Mann betritt die Küche und nähert sich Maria. Er legt ihr eine Hand auf die Schulter und schreit ihr ins Ohr: »Mariaaaaaaa...!« Die Frau dreht sich wütend um und sagt:

»Was willst du? Was willst du, was willst du, was wiiiiiiillst du?! Du hast mich schon zehnmal gerufen, und zehnmal habe ich geantwortet und dich gefragt, was du willst. Jeden Tag wirst du tauber, wann gehst du endlich mal zum Arzt?«

»So was nennt man Projektion, Demian. Jedesmal, wenn ich etwas sehe, was mich an jemand anderem stört, wäre es sinnvoll, mich daran zu erinnern, daß das, was ich sehe, auch immer ein kleines, ein klitzekleines Stück von mir selbst ist.

Also, zurück zu dir ... Wie war das mit Gabrielas Schnapsideen?«

Nicht mischen!

G abriela beklagt sich immer, daß ich sie nicht mit meinen Freunden bekannt mache. Immer will sie die Jungs und Mädchen von der Fakultät kennenlernen. Das geht mir auf die Nerven!«

»Und? Stellst du ihr die Leute von der Fakultät vor?«

»Ich habe keine Geheimnisse vor ihr. Wenn wir jemanden auf der Straße oder auf einem Fest treffen, stelle ich sie vor. Sie aber will sich Zugang zu meinem Bekanntenkreis verschaffen.«

»Und genau das willst du vermeiden, wenn ich dich richtig verstehe.«

»Na ja, kommt drauf an...«

»Worauf?«

»Was weiß ich. Wenn sich die Gelegenheit von selbst ergibt, hab ich kein Problem damit. Aber die Dinge übers Knie brechen? Nein danke.«

»Nimmst du mich auf den Arm? Was heißt, die Dinge übers Knie brechen? Angenommen, die Leute von der Fakultät geben ein Fest, du bist eingeladen und gehst mit deiner Freundin hin. Wird da etwas übers Knie gebrochen?«

»Ja, natürlich, da wird etwas erzwungen. Sie hat da nichts zu suchen. Da kennt sie doch niemand.«

»Das ist nicht dein Ernst, Demian. Ich hatte mal einen

Neffen, der vor und nach jeder Mahlzeit ein Brötchen aß, weil er behauptete, daß er mit leerem Magen nichts essen könne.«

»Ich sehe da keinen Zusammenhang zwischen deinem Witz und meiner Sache.«

»Nein, du siehst heute gar keine Zusammenhänge. Du behauptest, daß Gabriela bei deinen Freunden nichts zu suchen hat, weil die sie nicht kennen, und du gibst ihr nicht die Chance, sie kennenzulernen...«

»...«

»Warum nicht, Demian?«

»Weil das ganz andere Leute sind und...«

»Warum nicht?«

»Weil Gabriela...«

»Warum nicht, Demian, warum?«

»Warum? Um sie nicht miteinander zu vermischen.«

»Was meinst du damit?«

»Ganz einfach. Ich will die beiden Bekanntenkreise nicht miteinander vermischen... Und glaub nicht, daß mir das leichtfällt. Nicht nur, daß Gabriela sauer wird. Auch meine Studienkollegen werfen mir vor, daß ich Gabriela nie mitbringe. Keiner versteht, daß ich nur will, daß alles seinen Platz hat: das eine hier und das andere dort.«

»Aber sag mal, Demian, die einen und die anderen Dinge und dazu noch die ganz anderen, in dir selbst sind sie doch miteinander verbunden?«

»In mir selbst schon. Aber außerhalb will ich sie nicht miteinander vermischen.«

»Warum nicht?«

»Ich weiß nicht, Jorge, ich will sie einfach nicht mischen.«

»Das hör ich doch nicht zum ersten Mal.«

»Wie, nicht zum ersten Mal?«

»Du hast mir doch schon öfter erzählt, wie wichtig es für dich ist, nicht zu mischen.«

»Ja, ich glaube, einmal habe ich dir erzählt, daß ich meine Familie nicht mit meinen Freunden vermischen will, die Leute vom Klub nicht mit denen von der Uni, und so weiter.«

»Ich hab das Gefühl, es kann sehr sinnvoll sein, sich seine privaten Rückzugsorte vorzubehalten. Aber ich glaube auch, daß es ganz schön anstrengend ist, die verschiedenen Ereignisse und Leute in deinem Leben ständig auseinanderhalten zu müssen, auf daß sie nie zusammenkommen, und außerdem halte ich es für gefährlich.«

»Gefährlich inwiefern?«

»Wenn man Schranken und Barrieren aufbaut, beginnen die anderen an ihrem eigenen Stellenwert für dich zu zweifeln und fordern verstärkt danach, daß du ihnen die Möglichkeit gibst, mit ihnen deine Dinge zu teilen, vor allem die, die dir offensichtlich wichtig sind.«

»Das ist deren Problem, aber nicht meins.«

»Sei nicht so streng. Es könnte ihr Problem sein, aber du bist derjenige, der wissen muß, daß sie sich zurückgesetzt fühlen, ausgeschlossen und geringgeschätzt. Das ist das Risiko. Vielleicht verletzt du die anderen, indem du sie nicht mischen willst, und ruinierst am Ende deine Beziehungen zu ihnen, weil du diese Barrieren aufstellst.«

»Ich glaube, das tue ich nur mit den verschiedenen Freundeskreisen. Die sind aber auch tatsächlich ganz unabhängig voneinander.«

»Demian: Ein paar Monate, nachdem deine Therapie angefangen hat, hat auch dein Studium begonnen, du hattest kein Geld und wolltest deine Eltern nicht um welches bitten. Weißt du das noch? Ich hab dir angeboten, dir bis zum nächsten Monat oder bis irgendwann etwas zu leihen. Richtig?«

»Ja.«

»Und erinnerst du dich auch, was passiert ist?«

»Ja, ich wollte es nicht annehmen.«

»Weißt du noch, aus welchen Gründen?«

»Nein, ich kann mich nicht mehr daran erinnern.«

»Du warst überrascht, hast aber dankend abgelehnt, weil du nichts vermischen wolltest. Na, klingelt es bei dir?«

»Ja, schon, aber du hast dich nicht abgewertet gefühlt und auch nicht ausgeschlossen oder sonstwas.«

»Bist du dir da sicher?«

»So gut wie.«

»Du lügst. Du bist ganz und gar nicht sicher.«

»Hör mal, bei dir bin ich mir nicht mal mehr sicher, wie ich heiße.«

»Ich sag dir, Demian, manchmal ist es egal, wie gut du die Dinge durchschaust. Wenn du jemandem von ganzem Herzen deine Hilfe anbietest, und dieser jemand lehnt sie aus Blödheit, Stolz oder nur einfach so ab, dann hast du keine Lust, ihn dafür auch noch zu feiern. Das erste, was dir in den Sinn kommt, ist die Lust, ihn in den Wind zu schießen.«

»Ja, das verstehe ich.«

»Zur Abwechslung werde ich dir eine Geschichte erzählen.«

ES WAR EINMAL ein Mann, der hatte einen ziemlich dummen Diener. Der Mann war nicht knauserig genug, um ihn zu entlassen, und nicht großzügig genug, ihn weiter einzustellen, ohne daß er wirklich etwas tat, denn wozu kann man schon einen Dummkopf gebrauchen? Also versuchte er, dem Diener echte Aufgaben zu erteilen, damit er »zu was nütze« war. Eines Tages rief er ihn und sagte: »Geh in den Laden und kauf ein Pfund Mehl und ein Pfund Zucker. Das Mehl ist zum Brotbacken und der Zucker für die Plätzchen, und achte darauf, daß sie sich nicht vermischen. Hast du verstanden? Nicht vermischen.«

Der Diener hatte Mühe, die Bestellung im Kopf zu behalten: ein Pfund Mehl, ein Pfund Zucker, und nicht vermischen ... Und nicht vermischen. Er nahm einen Korb und machte sich auf den Weg zum Laden.

Unterwegs wiederholte er: »Ein Pfund Mehl und ein Pfund Zucker, und nicht miteinander vermischen.«

Im Laden angekommen, sagte er:

»Geben Sie mir ein Pfund Mehl, mein Herr.«

Der Kaufmann maß ein Pfund Mehl mit dem Meßbecher ab. Der Diener hielt ihm den Korb hin, und der Kaufmann leerte den Meßbecher hinein.

»Und ein Pfund Zucker, bitte«, sagte der Diener.

Wieder nahm der Kaufmann den Meßbecher und schöpfte diesmal ein volles Maß Zucker aus dem großen Behälter.

»Sie sollen sich nicht vermischen«, sagte der Diener.

»Und wo soll ich den Zucker dann hineintun?« fragte der Kaufmann.

Sein Gegenüber dachte kurz nach, und während er nachdachte, was ihm genügend Mühe bereitete, fühlte er mit seiner Hand an der Unterseite des Korbes entlang und spürte, daß sie leer war. Kurz entschlossen antwortete er: »Hier hinein.« Und drehte den Korb um, wobei natürlich das ganze Mehl zu Boden rieselte.

Der Diener machte kehrt und ging zufrieden nach Hause: ein Pfund Mehl und ein Pfund Zucker, und nicht vermischen.

Als der Hausherr ihn mit dem Korb voll Zucker ankommen sah, fragte er: »Und das Mehl?«

»Damit sie sich nicht vermischen«, antwortete der Diener, »ist es hier!« Drehte mit einer raschen Armbewegung den Korb um... und verschüttete auch den Zucker.

FLÜGEL SIND ZUM FLIEGEN DA

An diesem Tag erwartete mich Jorge bereits mit einer Geschichte.

ALS ER ALLMÄHLICH erwachsen wurde, nahm der Vater seinen Sohn beiseite und sagte zu ihm: »Hör mal, mein Junge, nicht jeder von uns ist wie du mit Flügeln auf die Welt gekommen. Natürlich kann dich niemand dazu zwingen zu fliegen, aber es wäre doch jammerschade, wenn du die Flügel, die dir der liebe Gott geschenkt hat, nicht benutzen würdest und dein Leben lang ein Fußgänger bliebest.«

»Aber ich kann doch gar nicht fliegen«, antwortete der Sohn.

»Das stimmt...«, sagte der Vater und nahm ihn mit auf einen Berg, von dessen Gipfel sie in die Tiefe schauten.

»Siehst du, mein Sohn, das ist die Leere. Wenn du fliegen willst, kommst du hierher, holst tief Luft, springst in den Abgrund, breitest deine Flügel aus, und du wirst fliegen.«

Der Sohn hatte Zweifel.

»Und wenn ich abstürze?«

»Selbst wenn du abstürzt, wirst du nicht sterben. Du

wirst höchstens ein paar Schrammen abbekommen und für den nächsten Versuch gestärkt sein«, antwortete der Vater.

Der Sohn ging ins Dorf zurück, um seine Freunde zu treffen, die Kameraden, mit denen er sein ganzes Leben lang zu Fuß umhergezogen war.

Die Kleingeistigen unter ihnen sagten zu ihm: »Bist du verrückt? Wozu das ganze? Dein Vater hat sie doch nicht mehr alle... Warum willst du fliegen? Laß doch den Blödsinn! Wer will schon fliegen?«

Die besten Freunde rieten ihm: »Vielleicht hat er ja recht? Aber ist das nicht gefährlich? Warum gehst du die Sache nicht langsam an? Versuch doch erst mal von einem Treppenabsatz zu springen oder von einer Baumkrone. Aber gleich von einem Berg?«

Der junge Mann nahm sich die Ratschläge der Menschen zu Herzen, denen er etwas bedeutete. Er kletterte auf einen Baum, faßte allen Mut zusammen und sprang. Er breitete die Flügel aus, schlug sie mit aller Kraft auf und ab, sauste aber viel zu schnell zu Boden.

Mit einer riesigen Beule auf der Stirn begegnete er seinem Vater.

»Du hast mich angelogen! Ich kann gar nicht fliegen. Ich hab es ausprobiert, und schau, was passiert ist! Ich bin nicht wie du. Meine Flügel sind nur zur Verzierung da.«

»Hör mal, mein Sohn«, sagte der Vater. »Um fliegen zu können, muß man erst den nötigen Freiraum schaffen, damit sich die Flügel ausbreiten können. Es ist wie beim

Fallschirmspringen: Vor dem Absprung brauchst du eine bestimmte Höhe.

Um fliegen zu können, muß man ein paar Risiken auf sich nehmen. Wenn du das nicht willst, läßt du es am besten sein und bleibst dein Leben lang Fußgänger.«

WER BIST DU?

Ich hatte sehr hart an mir gearbeitet. Unter der Anleitung meines Therapeuten und beflügelt vom Wunsch, alles über mich selbst zu erfahren, hatte ich viel Zeit damit verbracht, über verschiedene Ereignisse in meinem Leben nachzudenken, über momentane oder vergangene Befindlichkeiten, Erinnerungen und über jenes Phänomen, das Jorge das »Gewahrwerden« nannte und das immer wieder neue Überraschungen für mich bereithielt.

Allerdings nicht immer bloß schöne. Manche dieser Gedanken, die mir im Kopf herumgeisterten, und vor allem gewisse Gefühle, die mich überrollten, machten mich traurig und drückten mich nieder.

In einer solchen Stimmung ging ich an jenem Tag in Jorges Sprechstunde, an dem er mir seine Version von Giovanni Papinis Erzählung *Wer bist du?* vorlas.

Damals beklagte ich mich über Gott und die Welt. Ich hatte das unbestimmte Gefühl, daß niemand mehr vertrauenswürdig war. Ich wußte nicht, ob es an mir lag und ich mir immer die falschen Leute aussuchte, oder ob die Leute sich schließlich als anders entpuppten, als ich sie zunächst eingeschätzt hatte...

Ich stellte fest, daß ich immer auf jemanden wartete, der nie kam, oder daß ich in letzter Sekunde Verabredungen absagen mußte, weil irgend jemand vergessen hatte, mir irgend etwas mitzuteilen, oder daß ich Ewigkeiten an irgendwelchen Treffpunkten auf Leute wartete, die nicht im Traum daran dachten, zur verabredeten Zeit dort aufzutauchen.

Und dies ist die Geschichte, die mir mein Therapeut vorlas.

WIE IMMER WAR Sinclair auch an diesem Tag morgens um sieben Uhr aufgestanden. Wie jeden Tag schlurfte er in seinen Pantoffeln ins Bad, duschte, rasierte und parfümierte sich. Er kleidete sich wie immer nach der neuesten Mode und ging zum Briefkasten, um nach der Post zu schauen. Dort erwartete ihn die erste Überraschung des Tages: Der Briefkasten war leer!

Während der letzten Jahre hatte seine Korrespondenz beständig zugenommen und war zum wichtigen Faktor seiner Kommunikation mit der Außenwelt geworden. Ein wenig verstimmt über die Nachricht, keine Nachrichten bekommen zu haben, nahm er sein übliches Frühstück, Müsli und Milch (ärztlich verordnet), zu sich und verließ das Haus.

Alles war wie immer: Die gleichen Autos fuhren auf denselben Straßen und verursachten denselben, immer gleich lästigen Großstadtlärm. Als er den Platz überquerte, stieß er fast mit Professor Exer zusammen, einem alten Bekannten, mit dem er viele Stunden über so manches müßige metaphysische Problem diskutiert hatte. Er hob die Hand zum Gruß, aber der Professor schien ihn nicht zu erkennen. Er rief ihn beim Namen, aber da war der Herr Professor bereits zu weit weg, so daß Sinclair vermutete, er habe ihn wohl nicht gehört. Der Tag hatte schlecht begonnen, und er schien sich angesichts der drohenden Langeweile in seiner Seele noch zu verschlimmern. Sinclair beschloß, nach Hause zurückzukehren, dort seine Lektüre und Forschungsarbeit fortzusetzen und auf die vielen Briefe zu warten, die sicherlich am nächsten Tag kommen würden, da sie heute ausgeblieben waren.

In dieser Nacht schlief er nicht gut und wachte zeitig auf. Er stieg aus dem Bett und begann schon während des Frühstücks aus dem Fenster nach dem Briefträger zu spähen. Schließlich sah er ihn um die Ecke kommen, und sein Herz tat einen Freudensprung. Der Briefträger jedoch ging an seinem Haus vorbei, ohne innezuhalten. Sinclair lief hinunter und rief hinter ihm her, ob denn keine Post für ihn gekommen sei, doch der Briefträger versicherte ihm, daß er nichts für ihn dabeihabe und daß es auch weder einen Poststreik gebe noch Verteilungsprobleme in der Stadt.

Statt ihn zu beruhigen, wühlte ihn das nur noch mehr auf. Irgend etwas war geschehen, und er mußte herausfinden, was es war. Er zog sein Jackett an und machte sich auf den Weg zum Haus seines Freundes Mario.

Dort angekommen, ließ er sich vom Hausdiener anmelden und wartete im Wohnzimmer auf seinen Freund, der auch bald eintrat. Mit offenen Armen ging er auf den Hausherrn zu, aber der fragte nur: »Entschuldigen Sie, kennen wir uns?«

Sinclair hielt es für einen Witz, lachte gezwungen und bat um ein Glas Wein. Mit dem verheerenden Ergebnis, daß der Hausherr seinen Diener rief und ihm befahl, den Fremden vor die Tür zu setzen, welcher angesichts der Lage die Beherrschung verlor und zu schreien und zu schimpfen begann, was dem kräftigen Angestellten nur noch mehr Grund bot, ihn gewaltsam auf die Straße zu befördern...

Auf dem Heimweg begegnete Sinclair noch anderen Nachbarn, die ihn ignorierten oder ihn wie einen Fremden behandelten.

Ein Gedanke setzte sich in ihm fest: Man hatte sich gegen ihn verschworen, und er hatte irgendeinen seltsamen Fehler begangen, so daß ihn nun ablehnte, wer vor wenigen Stunden noch große Stücke auf ihn gehalten hatte. Doch soviel er auch darüber nachgrübelte, er konnte sich an nichts erinnern, das als Beleidigung hätte gelten können, und schon gar nicht an etwas, das eine ganze Stadt gegen ihn hätte aufbringen können.

Zwei Tage lang blieb er zu Hause, wartete auf die Post, die nicht kam, oder wünschte sich den Besuch seiner Freunde herbei, die, weil sie ihn vermißten, vorbeikommen würden, um sich nach seinem Befinden zu erkundigen. Aber nichts dergleichen geschah: Kein Mensch näherte sich seinem Haus. Die Reinemachefrau blieb aus, ohne sich abzumelden, und das Telefon klingelte nicht mehr.

Etwas wagemutig geworden durch ein Glas zuviel, beschloß Sinclair, in die Bar zu gehen, in der er sich sonst mit seinen Freunden traf, um die alltäglichen Nichtigkeiten zu besprechen. Kaum war er eingetreten, sah er sie wie üblich an ihrem Stammtisch in der Ecke sitzen. Der dicke Hans erzählte denselben alten Witz wie immer, und alle amüsierten sich wie gewöhnlich. Sinclair nahm sich einen Stuhl und setzte sich dazu. Sofort trat eisiges Schweigen ein, das deutlich machte, wie unerwünscht der letzte Ankömmling in der Runde war. Sinclair hielt es nicht mehr aus.

»Darf man wissen, was ihr plötzlich alle gegen mich habt? Wenn ich etwas falsch gemacht habe, dann sagt es mir, und wir regeln das, aber hört auf, mich wie Luft zu behandeln, das macht mich noch wahnsinnig.«

Die anderen schauten sich an, manche amüsiert, andere verärgert. Einer tippte sich zur Diagnose des Hinzukömmlings an die Stirn. Sinclair bat weiter um eine Erklärung, dann flehte er, und zuletzt fiel er auf die Knie und bettelte darum, man möge ihm sagen, was er denn verbrochen habe, daß man ihm das antat.

Nur einer war bereit, das Wort an ihn zu richten.

»Guter Mann, niemand von uns kennt Sie, also können Sie uns auch nichts angetan haben. Wir wissen noch nicht einmal, wer Sie sind.«

Tränen stiegen ihm in die Augen, er verließ das Lokal und schleppte seine sterbliche Hülle nach Hause. Ihm war, als wöge jeder seiner Füße mehr als eine Tonne.

Zu Hause angekommen, warf er sich auf sein Bett. Ohne zu wissen, wie ihm geschah, war er zu einem Unbekannten geworden, zu einem Abwesenden. Aus den

Adreßbüchern seiner Briefpartner radiert wie auch aus dem Gedächtnis seiner Bekannten, und erst recht aus den Herzen seiner Freunde. In seinem Geist machte sich schlagartig ein Gedanke breit: die Frage, die sich die anderen stellten und die auch er selbst sich allmählich zu stellen begann: »Wer bist du?«

Konnte er diese Frage wirklich beantworten? Er kannte seinen Namen, seine Adresse, seine Kragenweite, seine Ausweisnummer und ein paar andere Daten, die ihn nach außen hin definierten. Aber war das schon alles? Wer war er wirklich in seinem tiefsten Innern? All die Vorlieben und Aktivitäten, die Neigungen und Ideen, waren das wirklich seine eigenen? Oder waren sie, wie vieles andere auch, der Versuch, diejenigen nicht zu enttäuschen, die erwarteten, daß er der war, der er immer gewesen war? Da begann es ihm zu dämmern: Ein Unbekannter zu sein befreite ihn davon, etwas Bestimmtes sein zu müssen. Er konnte sein, wie er wollte, an der Reaktion der anderen auf ihn war sowieso nicht zu rütteln. Zum ersten Mal seit Tagen hatte er einen beruhigenden Gedanken: Er befand sich in einer Situation, die es ihm erlaubte, aus freien Stücken zu handeln, ohne auf die Bestätigung der Außenwelt zu warten.

Er atmete tief und spürte die Luft wie neu in seine Lungen dringen. Er merkte, wie das Blut durch seine Adern lief, spürte den Herzschlag und war überrascht, daß er zum ersten Mal nicht zitterte.

Jetzt, wo er schließlich und endlich wußte, daß er allein war, daß er es immer gewesen war, daß er niemanden hatte außer sich selbst, jetzt konnte er lachen oder weinen. Aber für sich selbst, nicht für die anderen. Endlich hatte er begriffen:

Daß seine eigene Existenz nicht von den anderen abhing.

Er hatte entdeckt, daß es nötig gewesen war, alleine zu sein, um sich selbst zu begegnen.

Er schlief einen tiefen und ruhigen Schlaf und träumte süß.

Um zehn Uhr früh wachte er auf und bemerkte, daß um diese Zeit ein Sonnenstrahl durchs Fenster fiel, der sein Zimmer in ein zauberhaftes Licht tauchte.

Ohne zu baden, ging er die Treppe hinunter, summte ein ihm völlig unbekanntes Lied vor sich hin und fand unter seiner Tür eine riesige Menge an ihn adressierter Briefe.

Die Reinemachefrau war in der Küche und grüßte ihn, als wäre nie etwas gewesen.

Abends, in der Bar, schien sich keiner mehr an diese seltsam verrückte Nacht zu erinnern. Jedenfalls machte niemand auch nur die geringste Bemerkung in dieser Richtung.

Alles ging wieder seinen normalen Gang, bis auf ihn,

ihn, der zum Glück nie wieder jemanden brauchte, der ihn ansah, um zu wissen, daß er lebendig war,

ihn, der nie wieder die Außenwelt darum bitten mußte, ihn zu definieren,

ihn, der nie wieder Angst vor Zurückweisung hatte.

Alles war wie immer, nur daß dieser Mann nie wieder vergaß, wer er war.

»Und das ist deine Geschichte, Demian«, fuhr der Dicke fort. »Wenn du dir nicht bewußt machst, wie sehr du vom Blick der anderen abhängig bist, zitterst du aus Angst davor, von ihnen im Stich gelassen zu werden, was du, genau wie jeder von uns, gelernt hast zu fürchten.

Und der Preis dafür, sich nicht fürchten zu müssen, ist, sich anzupassen, ist, das zu sein, was die anderen, die uns ja so sehr lieben, uns zwingen zu sein, zu tun und zu denken.

Wenn dir das ›Glück‹ widerfährt wie dem Mann in der Geschichte von Papini und dir die Außenwelt in einem bestimmten Moment den Rücken zukehrt, bleibt dir nichts anderes übrig, als einzusehen, wie müßig dieser Kampf ist.

Aber wenn das nicht passiert, wenn du das Pech hast, akzeptiert und wohlgelitten zu sein, dann bist du verlassen vom eigenen Bewußtsein über deine Freiheit, bist gezwungen, dich zu entscheiden zwischen Gehorsamkeit und Einsamkeit; bist gefangen darin, etwas zu sein, was du sein mußt, oder für niemanden etwas zu sein.

Und von da an könntest du sein, aber nur allein, und ganz allein für dich.«

DIE FLUSSÜBERQUERUNG

Jetzt habe ich dann aber auch wirklich die Nase voll!«

»Wieso, was ist los?«

»Mensch, weil ich nachher noch zu einem Freund muß, um ihm ein paar Notizen zu bringen, die er unbedingt braucht... und der wohnt total in der Pampa.«

»Hör mal, Demian...«

»Ja, ja, ich weiß schon«, unterbrach ich ihn, »du willst mir sagen, daß ich gar nichts tun *muß* und daß ich es tue, weil ich es will, weil es meine eigene Wahl ist und so weiter und so fort. Das Lied kenn ich schon.«

»Natürlich ist es deine Wahl.«

»Ja, ich wähle. Aber ich fühle mich dazu verpflichtet.«

»Schön und gut, ich möchte jetzt auch gar nicht hinterfragen, daß du dich verpflichtet fühlst, und auch nicht, warum. Das einzige, was ich hinterfragen möchte, ist, warum du nicht weißt, wieso du dich verpflichtet fühlst.«

»Ich weiß sehr wohl, warum ich mich verpflichtet fühle: Juan ist ein prima Kerl, und immer, wenn ich etwas brauche, ist er sofort zur Stelle. Deshalb kann ich ihm nichts abschlagen.«

»Können könntest du schon. Allerdings...«

»... kümmere ich mich darum, was Juan von mir denken könnte.«

»Nein, noch schlimmer. Du kümmerst dich darum, was du selbst von dir denken könntest.«

»Ich würde mir schäbig vorkommen.«

»Jetzt mal abgesehen davon, wie du dir vorkämst, wenn du ihm die Notizen nicht bringen würdest. Fühlst du dich nicht jetzt schon schäbig, nur weil du zu faul bist hinzugehen?«

»Doch, schon.«

»Das ist das Problem mit den Schuldgefühlen. Siehst du? Die Menschheit leidet und macht sich das Leben schwer, weil sie sich die Hälfte des Tages schuldig fühlt, so zu sein, wie sie ist. Die übrigen zwölf Stunden macht sie anderen das Leben schwer, indem sie ihnen vorschreibt, was sie zu tun und zu lassen haben.«

»Aha. Jetzt weiß ich gar nichts mehr.«

»Das ist vielleicht das beste. Wenn man nichts weiß, gibt es noch mehr zu lernen.«

Die Momente, in denen Jorge sich zwischen philosophisch und ironisch gab und ich nicht genau wußte, ob er mit mir sprach oder bloß in meiner Gegenwart über die Zukunft der Menschheit meditierte, waren für mich kaum zu ertragen.

Und für wen oder was er es auch tun mochte, für sich, für mich oder für die Wissenschaft, ich jedenfalls hatte, obwohl ich wußte, daß es mir am Ende dienen würde, dann immer das Gefühl, alles stehen- und liegenlassen zu wollen. Ich hatte die Nase voll von der Therapie, vom Bewußtwerdungsprozeß, von allem. Ich wollte einfach nur gehen.

Das einzige, was mich davon abhielt, war die Erinnerung daran, daß ich es einmal getan hatte und am Ende alles nur noch schlimmer geworden war, weil ich die Verwirrung nicht hinter mir gelassen, sondern mitgenommen hatte und zu nichts anderem mehr imstande gewesen war, bis ich damit aufgeräumt hatte.

Damals hatte er mir jene Geschichte erzählt, aber in Situationen wie dieser kam sie immer wieder in mir hoch, um mich daran zu erinnern, wie wichtig es war, die Sachen nicht halb getan zurückzulassen, und wie gefährlich, den Geist mit ungelösten Problemen zu belasten.

ES WAREN EINMAL zwei Zen-Mönche, die durch den Wald zu ihrem Kloster zurückkehrten. Als sie an den Fluß kamen, sahen sie eine Frau am Ufer knien und weinen. Sie war jung und schön.

»Was ist mit dir?« fragte der ältere Mönch.

»Meine Mutter liegt im Sterben. Sie ist allein zu Haus, auf der anderen Seite des Flusses, und ich kann nicht zu ihr. Ich habe es versucht«, antwortete sie, »aber die Strömung hat mich fortgerissen, und ohne Hilfe komme ich nicht auf die andere Seite. Ich dachte, ich würde sie wohl nicht mehr lebend wiedersehen. Aber jetzt ... Jetzt, wo ihr gekommen seid, könnte mir doch einer von euch helfen, den Fluß zu überqueren ...«

»Ich wünschte, wir könnten das tun«, klagte der Jüngere. »Aber die einzige Möglichkeit, dir zu helfen, wäre, dich über den Fluß zu tragen. Unser Keuschheitsgelübde jedoch verbietet uns jeden Kontakt zum anderen Geschlecht. Es ist uns verboten. Es tut mir leid.«

»Mir tut es auch leid«, sagte die Frau und brach erneut in Tränen aus.

Der ältere Mönch kniete nieder, beugte den Kopf und sagte: »Steig auf!«

Die Frau konnte es kaum glauben, sie raffte schnell ihr Bündel zusammen und stieg dem Mönch auf den Rücken.

Unter größten Schwierigkeiten durchquerte der alte Mönch, gefolgt vom Jüngeren, den Fluß.

Als sie am anderen Ufer angelangt waren, stieg die Frau ab und wollte dem alten Mönch die Hände küssen.

»Ist schon gut«, sagte der Alte und zog seine Hände zurück, »setz deinen Weg fort.«

Die Frau verneigte sich dankbar und ergeben, sammelte ihr Bündel auf und lief los in Richtung Dorf.

Schweigend nahmen die Mönche ihren Marsch zum Kloster wieder auf. Zehn Stunden Weg lagen noch vor ihnen...

Kurz vor ihrer Ankunft sagte der Junge zum Alten: »Meister, Ihr kennt unser Gelübde besser als ich. Dennoch habt Ihr diese Frau auf Euren Schultern über den Fluß getragen.«

»Ja, ich habe sie über den Fluß getragen. Aber was ist mit dir, der du sie noch immer auf deinen Schultern trägst?«

GESCHENKE FÜR DEN
MAHARADSCHA

Sieh mal, Demian, es wäre toll, wenn du deinem Freund die Notizen bringen würdest; es wäre auch toll, wenn es dir noch dazu Spaß machen würde; vernünftig wäre es, wenn du es ohne jedes Gefühl machen könntest, aber sich davon die Laune verderben zu lassen? Ich glaube nicht, daß Juans Prüfung allein von deinen Notizen abhängt.«

»Was hat das denn damit zu tun?«

»Nichts, es war ein Witz. Ich dachte an die alte Leier von wegen müssen.«

»Ich weiß nicht, warum du dich noch so dran aufhängst, wo ich doch schon gesagt habe, daß ich sie ihm bringe.«

»Ich hänge mich dran auf, damit dir bewußt wird, was dich immer wieder in solche Situationen treibt. Soll ich dir eine Geschichte erzählen?«

Es war einmal ein Maharadscha, der als sehr weise galt, und der feierte seinen hundertsten Geburtstag. Dieses Ereignis wurde freudig begangen, denn der Herrscher war allseits sehr beliebt. Im Palast wurde ein großes Fest für diesen Abend vorbereitet, und die mächtigen Herren des Königreichs wie auch aus vielen anderen Ländern waren dazu eingeladen.

Es war soweit, und im Eingang zum Salon, in dem der Maharadscha seine Gäste begrüßte, häuften sich die Geschenke.

Während des Abendessens bat der Maharadscha seine Bediensteten, die Geschenke in zwei Gruppen einzuteilen: die Geschenke mit Absender und die, von denen man nicht wußte, von wem sie stammten.

Beim Nachtisch ordnete der König an, man solle alle Geschenke hereinbringen, und zwar eingeteilt in zwei Haufen. Es gab einen Haufen mit Hunderten von großen, kostbaren Geschenken und einen kleineren, in dem sich nur ein paar Dutzend Gaben befanden.

Der Maharadscha widmete sich zuerst den Geschenken auf dem ersten Haufen, und zu jeder Gabe wurde ihm gesagt, von wem sie stammte. Jedes Mal stieg er von seinem Thron, wandte sich an den Überbringer, sagte: »Ich danke dir für dein Geschenk, ich geb es dir wieder, und wir verbleiben wie zuvor« und reichte es unbesehen zurück.

Nachdem alle Geschenke vom ersten Haufen ausgepackt waren, trat er an den zweiten heran und sagte: »Diese Geschenke haben keinen Absender. Ich werde sie annehmen, denn sie verpflichten mich zu nichts, in meinem Alter ist es nicht ratsam, sich noch Schulden aufzubürden.«

»Jedesmal, wenn du etwas erhältst, Demian, liegt es in deinem Ermessen oder im Ermessen des anderen, diese Gabe in eine Schuld zu verwandeln. Wenn das der Fall ist, wäre es besser, man würde nichts erhalten.

Wenn du aber imstande bist, zu geben, ohne etwas zurückzuverlangen, oder etwas zu empfangen, ohne dich zu einer Gegenleistung verpflichtet zu fühlen, dann kannst du geben oder nicht, empfangen oder nicht, aber du wirst nie das Gefühl haben, jemandem etwas schuldig zu sein. Und das Wichtigste daran ist: Nie wieder wird es jemand versäumen, dir zurückzuzahlen, was er dir schuldet, weil dir nie jemand etwas schuldig ist.«

Als Jorge aufhörte zu sprechen, war meine schlechte Laune verflogen. Mir war klargeworden, daß ich keinerlei Verpflichtung hatte, meinem Freund die Notizen zu bringen. Mir war klargeworden, daß mir Juan seine Hilfe angeboten hatte, ohne von mir eine Gegenleistung zu erwarten. Und noch weiter: Hätte er es getan, damit ich ihm etwas schuldete, wäre er ein Kleingeist, dem ich keinen Gefallen tun wollte. Auf diese Weise war ich niemandem etwas schuldig und konnte tun und lassen, wozu ich lustig war.

Ich verabschiedete mich von Jorge und machte mich auf den Weg, um Juan die Notizen zu bringen.

AUF DER SUCHE NACH BUDDHA

Hin und wieder fragte ich mich, ob die philosophischen Grundlagen der Gestalttherapie nicht ein bißchen sehr egoistisch waren.

Die Lehre schien so viel Freiheit zu lassen, daß jedermann sich dazu entschließen konnte, der Rest der Welt könne ihm den Buckel runterrutschen, und den Gestaltlern nach wäre das absolut in Ordnung. Ein Mensch könnte sich sein Leben lang nur mit sich selbst befassen, und das wäre überhaupt kein Problem.

Die positiven Werte, nach denen wir erzogen werden, schienen für die Gestalttherapie gar keine Werte zu sein.

Beim Dicken wollte ich mich noch einmal vergewissern.

»Es stimmt«, sagte er, »manchmal sieht es wirklich danach aus.«

»Aber ist es denn auch so?«

»Ja, es ist so... Deshalb sieht es ja auch danach aus.«

»Sehr witzig!«

»Nein, im Ernst, es ist so. Bei der Gestalttherapie weiß ich es nicht so genau. Aber wenn du mich persönlich fragst, ich glaube wirklich, daß jeder so sein muß, wie er ist, auch wenn dieses Wie-er-ist scheiße ist.«

»Und du ziehst es vor, in der Scheiße zu leben?«

»Nein, aber stell dir doch mal vor, was passieren würde, wenn jeder so leben würde, wie er ist. Und sich selbst treu wäre...

Ich glaube, es würde folgendes passieren: Die, die sowieso scheiße sind, bleiben scheiße, und eine Veränderung fiele bei ihnen gar nicht ins Gewicht. Aber die, die sich scheiße verhalten, nur weil sie sich dazu zwingen, bessere Menschen zu werden, die könnten sich als ganz angenehme Zeitgenossen entpuppen. Und wenn die Herzensguten nur schon damit aufhören würden, sich ständig zu hinterfragen, hätten sie viel mehr Zeit, Gutes zu tun.«

»Aber am Ende läuft es auf dasselbe hinaus.«

»Nein, tut es nicht. Unsere Erziehung lehrt uns, verantwortungsbewußt zu sein. Ich hingegen glaube, man muß das Verantwortungsgefühl fahrenlassen.«

»Und wenn wir die Leute dazu erziehen würden, ihr Verantwortungsgefühl fahrenzulassen?«

»Vielleicht wäre das hilfreich, aber nur, wenn dafür wiederum niemand die Verantwortung übernehmen müßte. Das wäre, als würde man den Fluß zum Fließen zwingen wollen... Und das fiele mir nicht im Traum ein.«

»Dann gibt es also bessere und schlechtere Menschen. Es gibt Egoismus und Verantwortungsgefühl, das Gute und das Schlechte.«

»Wahrscheinlich, aber ich glaube lieber daran, daß es unterschiedliche Flughöhen gibt. Ich glaube, daß wir eigentlich von Natur aus Fußgänger sind. Ein paar wenige von uns können fliegen, wie zum Beispiel die Meister; ein paar, wenn auch verschwindend wenige, fliegen sehr hoch, wie etwa die Weisen; und dann sind da leider auch noch die Kriechtiere. Denen ist es nicht einmal gegeben, den Kopf vom Boden zu heben, das sind die, die du und ich die schlechten Menschen nennen.

Und obwohl ich eingestehe, daß nicht jeder von uns ein Paar Flügel besitzt, glaube ich doch, daß jeder den ihm bestimmten Weg akzeptieren kann, oder aber man versucht zu wachsen, um etwas an Höhe zu gewinnen. Aber es gibt auch immer ein paar Verrückte, die, statt sich zu bemühen, höher hinaufzufliegen, ihre Kraft darauf verwenden, ir-gendwo raufzuklettern, um auf diese Weise größer zu er-scheinen. Und dann sind da noch die, ob du's glaubst oder nicht, die sich mehr und mehr einbuddeln, um dort unten nach irgendwelchen Antworten zu suchen.«

»Es scheint wohl alles davon abzuhängen, wie hoch das Ziel ist, das man sich gesteckt hat.«

»Keine Ahnung. Soll ich dir eine Geschichte erzäh-len?«

BUDDHA REISTE DURCH die Welt, um seine selbster-nannten Schüler zu treffen und ihnen von der Wahrheit zu berichten.

Wo immer er sich auch aufhielt, immer strömten die Leute, die an sein Wort glaubten, in Scharen herbei, um ihm zuzuhören, ihn zu berühren oder zu sehen, und sei es auch nur dies eine Mal in ihrem Leben.

Vier Mönche, die erfahren hatten, daß Buddha ir-gendwann auch nach Vaali kommen würde, luden ihre

Siebensachen auf ihre Maultiere und machten sich auf die Reise, die, wenn alles gutging, einige Wochen dauern würde.

Einer von ihnen kannte sich nicht so gut aus, er heftete sich an die Fersen der anderen.

Nach drei Tagen wurde die Gruppe von einem gewaltigen Sturm überrascht. Die Mönche beschleunigten ihr Tempo und gelangten in ein Dorf, wo sie Unterschlupf fanden, bis der Sturm vorbei war.

Der letzte aber erreichte das Dorf nicht rechtzeitig und mußte etwas außerhalb Zuflucht im Haus eines Schäfers suchen. Der Schäfer gab ihm Kleidung, Verpflegung und ein Dach über dem Kopf für die Nacht.

Bevor er am nächsten Morgen aufbrach, wollte sich der Mönch noch von seinem Wohltäter verabschieden. Doch der Sturm hatte die Schafe verscheucht, und der Schäfer war damit beschäftigt, sie wieder zusammenzutreiben.

Der Mönch überlegte, daß seine Mitbrüder eventuell schon das Dorf verlassen hätten und er sie sicherlich nicht mehr einholen konnte, wenn er sich nicht beeilte. Aber es schien ihm unmöglich, seine Reise fortzusetzen und den Schäfer, der ihm Kost und Logis gewährt hatte, seinem Schicksal zu überlassen. Also beschloß er zu bleiben, bis sie gemeinsam alle Schafe wieder eingefangen hätten.

Erst drei Tage später konnte er sich eilig auf den Weg machen, um Anschluß an seine Gefährten zu finden.

Auf den Spuren der anderen machte er an einem Bauernhof halt, um seinen Wasservorrat aufzufrischen.

Eine Frau zeigte ihm, wo der Brunnen war, und entschuldigte sich, ihm nicht recht behilflich sein zu können, denn sie müsse ihre Ernte einbringen. Während der Mönch sich anschickte, seine Maultiere zu tränken und seine Wasserschläuche zu füllen, schilderte sie ihm, wie schwierig es für sie und ihre Kleinen nach dem Tod ihres Mannes war, die Felder abzuernten, bevor das Korn verdarb.

Der Mönch erkannte, daß es die Frau allein niemals schaffen konnte, die gesamte Ernte innerhalb gebotener Zeit einzubringen, aber er wußte auch, daß er, wenn er bliebe, die Spur verlieren und nicht in Vaali sein würde, wenn Buddha dort ankäme.

›Dann sehe ich ihn eben ein paar Tage später‹, dachte er, denn er wußte, daß Buddha erst in ein paar Wochen von Vaali aufbrechen würde.

Nach drei Wochen war die Ernte eingebracht, und der Mönch begab sich wieder auf die Reise.

Da erfuhr er, daß Buddha Vaali bereits verlassen hatte und zu einem Dorf im Norden unterwegs war.

Der Mönch änderte seine Route und trieb sein Maultier in Richtung dieses Dorfes an.

Er hätte dort hinkommen und ihn wenigstens sehen können, doch auf dem Weg mußte er einem älteren Paar zu Hilfe eilen, das stromabwärts trieb und ohne seinen Beistand dem sicheren Tod ins Auge geblickt hätte. Als die beiden Alten wieder bei Kräften waren, nahm er seinen Pfad wieder auf, da er wußte, daß auch Buddha seine Reise fortsetzte...

Zwanzig Jahre lang folgte der Mönch Buddha auf seinem Weg. Jedes Mal, wenn er in seine Nähe gelangte, kam es zu einem Zwischenfall, der seine Reise unterbrach. Immer gab es da jemanden, der seine Unterstützung brauchte und ihn unwissentlich davon abhielt, rechtzeitig bei Buddha einzutreffen.

Schließlich hörte der Mönch, daß Buddha an seinen Geburtsort zurückkehren wollte, um dort zu sterben.

›Das ist meine letzte Gelegenheit‹, dachte er bei sich. ›Wenn ich nicht selbst sterben will, ohne Buddha vorher gesehen zu haben, darf ich nicht mehr vom Weg abkommen. Jetzt gibt es nichts Wichtigeres mehr, als Buddha zu treffen, bevor er das Zeitliche segnet. Danach wird es noch genügend Gelegenheiten geben, anderen zu helfen.‹

Und auf seinem letzten Maultier machte er sich mit dem restlichen Proviant auf die Reise.

Am Morgen, bevor er das Dorf erreichte, stolperte er fast über einen verletzten Hirschen. Er kümmerte sich um ihn, gab ihm zu trinken und bedeckte seine Wunden mit frischer Tonerde. Der Hirsch schnappte verzweifelt nach Luft, da ihm schon mehr und mehr der Atem wegblieb.

›Ich muß jemand anderen finden, der bei ihm bleibt‹, dachte der Mönch, ›damit ich weiterreisen kann.‹

Aber weit und breit war kein Mensch in Sicht.

Behutsam bettete er das Tier gegen einen Felsen, um seinen Weg fortzusetzen, er ließ ihm Wasser und Futter in Reichweite seiner Schnauze da und erhob sich zum Gehen.

Er hatte kaum zwei Schritte getan, da wußte er, daß er Buddha nicht vor die Augen treten konnte und im tiefsten Herzen wissen, daß er ein sterbendes Wesen sich selbst überlassen hatte...

Also sattelte er das Maultier wieder ab und blieb, um die arme Kreatur zu pflegen. Die ganze Nacht lang wachte er über den Schlaf des Hirschen, als handelte es sich um ein Kind. Er gab ihm zu trinken und wechselte die Umschläge auf seiner Stirn.

Als der Morgen graute, hatte das Tier sich erholt.

Der Mönch stand auf, setzte sich an einen verborgenen Ort und weinte... Schließlich hatte er auch die letzte Gelegenheit verstreichen lassen.

»So habe ich dich nie treffen können«, sagte er laut.

»Such nicht weiter nach mir«, sagte eine Stimme hinter ihm, »denn du hast mich bereits getroffen.«

Der Mönch drehte sich um und sah, wie sich der Hirsch mit Licht füllte und die rundliche Form Buddhas annahm.

»Du hättest mich verloren, wenn du mich heute nacht hättest sterben lassen, um mich im Dorf zu treffen... Und, was meinen Tod angeht, so sei unbesorgt: Solange es Menschen wie dich gibt, die sich jahrein jahraus auf die Suche nach mir begeben und unterdessen zugunsten anderer auf ihre eigenen Bedürfnisse verzichten, kann Buddha nicht sterben. Denn genau das ist Buddha. Buddha ist in dir.«

»Ich glaube, ich verstehe. Ein absichtlich zu hoch gestecktes Ziel kann Anreiz für einen Höhenflug sein, aber es kann auch zur Rechtfertigung derjenigen dienen, die kriechend am Boden verharren.«

»Genau so ist es, Demian.«

DER BEHARRLICHE HOLZFÄLLER

Ich weiß nicht, was los ist, Dicker. An der Uni läuft es nicht so, wie ich es gern hätte.«

»Was heißt das?«

»Daß meine Leistungen seit Anfang des Jahres langsam, aber unaufhaltsam abnehmen. Meine Beurteilungen waren immer einigermaßen gut, aber in den letzten Prüfungen habe ich gerade mal das Mittelmaß erreicht. Ich weiß nichts, ich bringe nichts, ich kann mich nicht konzentrieren, ich habe keine Lust mehr.«

»Hör zu, Demian, wir steuern aufs Jahresende zu. Vielleicht brauchst du mal eine Pause.«

»Ich habe schon vor, Pause zu machen, aber bis zum Jahresende sind es noch zwei Monate, und vorher sehe ich da keine Möglichkeit. Ich kann jetzt nicht einfach unterbrechen und Urlaub nehmen.«

»Manchmal glaube ich, die Zivilisation hat uns inzwischen alle verrückt gemacht. Wir schlafen von zwölf bis acht, essen von zwölf bis eins zu Mittag und von neun bis zehn zu Abend... Unser ganzes Tun ist allein von der Uhr bestimmt, nicht mehr von unseren Gelüsten. Ich denke schon, daß ein gewisses Maß an Ordnung in manchen Bereichen unabdingbar ist, in anderen Bereichen aber ist es völlig unsinnig, einer vorgegebenen Ordnung zu gehorchen.«

»Wie du meinst, aber ich kann mir jetzt einfach keine Auszeit gönnen.«

»Du sagst doch selbst, wenn du so weitermachst, nehmen deine Leistungen ab.«

»Es muß eine andere Möglichkeit geben!«

Es war einmal ein Holzfäller, der bei einer Holzgesellschaft um Arbeit vorsprach. Das Gehalt war in Ordnung, die Arbeitsbedingungen verlockend, also wollte der Holzfäller einen guten Eindruck hinterlassen.

Am ersten Tag meldete er sich beim Vorarbeiter, der ihm eine Axt gab und ihm einen bestimmten Bereich im Wald zuwies.

Begeistert machte sich der Holzfäller an die Arbeit.

An einem einzigen Tag fällte er achtzehn Bäume.

»Herzlichen Glückwunsch«, sagte der Vorarbeiter. »Weiter so.«

Angestachelt von den Worten des Vorarbeiters, beschloß der Holzfäller, am nächsten Tag das Ergebnis seiner Arbeit noch zu übertreffen. Also legte er sich in dieser Nacht früh ins Bett.

Am nächsten Morgen stand er vor allen anderen auf und ging in den Wald.

Trotz aller Anstrengung gelang es ihm aber nicht, mehr als fünfzehn Bäume zu fällen.

›Ich muß müde sein‹, dachte er. Und beschloß, an diesem Tag gleich nach Sonnenuntergang schlafen zu gehen.

Im Morgengrauen erwachte er mit dem festen Ent-

schluß, heute seine Marke von achtzehn Bäumen zu übertreffen. Er schaffte noch nicht einmal die Hälfte.

Am nächsten Tag waren es nur sieben Bäume, und am
übernächsten fünf, seinen letzten Tag verbrachte er fast
vollständig damit, einen zweiten Baum zu fällen.

In Sorge darüber, was wohl der Vorarbeiter dazu sagen würde, trat der Holzfäller vor ihn hin, erzählte, was
passiert war, und schwor Stein und Bein, daß er geschuf-
tet hatte bis zum Umfallen.

Der Vorarbeiter fragte ihn: »Wann hast du denn deine
Axt das letzte Mal geschärft?«

»Die Axt schärfen? Dazu hatte ich keine Zeit, ich war
zu sehr damit beschäftigt, Bäume zu fällen.«

»Was nützt dir die gewaltige Anstrengung, Demian, wenn
sie dir recht bald nicht mehr die gewünschten Erfolge
bringt? Wenn ich mich anstrenge, reicht die Erholungspause niemals aus, um das Maß meiner Erschöpfung wettzumachen.

Sich ausruhen, etwas anderes tun, sich mit anderen Dingen zu beschäftigen ist manchmal auch eine Art, unsere Ar-
beitswerkzeuge zu schärfen. Etwas gewaltsam erzwingen
zu wollen ist der verzweifelte Versuch, mit Willenskraft ein
gewisses momentanes Unvermögen zu überdecken.«

DAS HUHN UND DIE
KLEINEN ENTLEIN

Ich redete kaum mehr mit meinen Eltern. Ich fühlte mich völlig unverstanden.

Es schien mir nicht möglich, mich mit ihnen zu verstehen. Vor allem mit meinem Vater.

Ich hatte meinen Vater immer für einen fabelhaften Kerl gehalten, und auch damals hielt ich ihn noch dafür. Aber er behandelte mich wie den letzten Trottel. Alles, was ich tat, fand er schlecht, überflüssig, gefährlich oder unangemessen. Und wenn ich versuchte, es ihm zu erklären, wurde es nur schlimmer: Wir kamen nie auf einen gemeinsamen Nenner.

»... und ich möchte einfach nicht glauben, daß mein Vater allmählich verblödet.«

»Ich nehme nicht an, daß er verblödet.«

»Aber ich schwör dir, Dicker, er verhält sich wie ein Esel. Wie ein Bremsklotz hält er an schwachsinnigen und völlig überholten Meinungen fest. Mein Vater ist noch nicht so alt, daß er die Jugend nicht mehr verstehen könnte ... Jedenfalls ist das mehr als seltsam.«

»Eine Geschichte?«

»Eine Geschichte.«

Es war einmal eine Ente, die hatte vier Eier gelegt.

Während sie noch brütete, schlich sich ein Fuchs ans Nest heran und tötete die Ente. Bevor er die Eier auffressen konnte, wurde er gestört und suchte das Weite, die Eier blieben allein im Nest zurück.

Eine Bruthenne kam gackernd vorbei und entdeckte das verlassene Gelege. Instinktiv setzte sie sich darauf, um die Eier auszubrüten.

Es dauerte nicht lang, da schlüpften die Entenküken aus, und selbstverständlich hielten sie das Huhn für ihre Mutter und spazierten bald in einer Reihe hinter ihm her.

Die Henne, stolz auf ihre jüngste Brut, nahm sie mit zum Bauernhof.

Jeden Morgen nach dem ersten Hahnenschrei begann Mama Henne auf dem Boden zu scharren, und die Entlein zwangen sich dazu, es ihr gleichzutun. Da es den Entlein nicht gelingen wollte, auch nur einen einzigen Wurm aus dem Boden zu picken, versorgte die Mama sämtliche Küken mit Nahrung, sie teilte jeden Regenwurm in Stücke und steckte sie ihren Kindern in die breiten Schnäbel.

Tag um Tag ging die Henne mit ihrer Brut rund um den Bauernhof spazieren. Diszipliniert und in Reih und Glied folgten ihr die Küken.

Einmal am See angekommen, warfen sich die Entlein gleich ins kühle Naß, als hätten sie nie etwas anderes getan, während die Henne verzweifelt am Ufer gackerte und sie anflehte, aus dem Wasser zu kommen.

Munter planschten die Entlein umher, und ihre Mutter flatterte nervös mit den Flügeln und heulte aus Angst, sie könnten ertrinken.

Vom Gegacker der Henne angelockt, erschien der Hahn und erfaßte die Situation mit einem Blick.

»Auf die Jugend ist kein Verlaß«, war sein Verdikt. »Leichtsinnig, wie sie nun einmal ist.«

Eins der Entenküken, das den Hahn gehört hatte, schwamm zu ihnen ans Ufer und sagte: »Gebt uns nicht die Schuld an eurem eigenen Unvermögen.«

»Denk nicht, daß die Henne falsch gehandelt hat, Demian. Und richte auch nicht über den Hahn.

Halte die Entlein nicht einfach für trotzig und über-mütig.

Keiner von ihnen ist im Irrtum. Sie betrachten nur jeder die Realität von unterschiedlichen Standpunkten aus.

Der einzige Fehler ist fast immer, zu glauben, daß mein Standpunkt der einzige ist, von dem aus man die Wahrheit sieht.

Der Taube wird die Tanzenden immer für Verrückte halten.«

Die armen Schafe

Ich dachte noch eine Weile über das Thema Eltern-Kind-Beziehung nach.

Der Dicke hatte recht! Jede Generation sieht die Dinge einzig und allein aus ihrem eigenen Blickwinkel. Wir geraten mit unseren Eltern aneinander, genau wie sie früher mit den Großeltern, nur weil wir uns einfach nicht auf eine gemeinsame Wirklichkeit einigen können.

»Weißt du, daß ich mit meinen Eltern gesprochen habe?«

»Ach ja?«

»Ich hab ihnen die Geschichte von der Henne erzählt.«

»Und?«

»Am Anfang haben sie genauso reagiert, wie ich es erwartet hatte. Meine Mutter hat gesagt, daß sie keinen Zusammenhang mit unserer Situation sieht, und mein Vater, daß er darüber eine ganz andere Meinung hat. Dann haben wir eine Weile geschwiegen, und danach waren wir uns nicht mehr ganz so uneinig.«

»Ihr konntet euch auf eure Uneinigkeit einigen.«

»Ja, genau das war's. Sich einigen, wenn man sowieso einer Meinung ist, ist leicht. Schwierig wird es erst dann, wenn man unterschiedlicher Auffassung ist. Aber genau das ist passiert.«

»Schön!«

»Trotzdem hat mein Vater am Ende erklärt, daß er allein aus Altersgründen Meinungsvorrecht besitze, wegen seiner Erfahrung und weil es Situationen im Leben gibt, die wir ohne seinen Beistand nicht einschätzen und meistern könnten, die alte Leier eben.«

»Und was denkst du?«

»Daß das nicht stimmt. Ich kann fast alle Situationen gut selbst meistern.«

»Und was ist mit den restlichen?«

»Die vielleicht nicht.«

»Also hat dein Vater recht. Es gibt Situationen, in denen du seine Unterstützung noch brauchst.«

»Natürlich.«

»Dadurch gerätst du etwas ins Hintertreffen, oder?«

»Ja, aber es ist schon etwas dran.«

»Es ist also wahr. Jetzt muß man nur noch herausfinden, ob es auch die ganze Wahrheit ist.«

»Und wie?«

»Hör zu...«

Es war einmal eine Schäferfamilie. Alle Schafe waren in einem einzigen Gehege eingesperrt. Sie wurden gefüttert, gepflegt und hatten ihren Auslauf.

Manchmal versuchten die Schafe auszubrechen.

Dann trat der älteste Schäfer vor sie hin und sagte: »Ihr ahnungslosen, leichtsinnigen Schafe, ihr wißt ja gar nicht, daß das Tal draußen voller Gefahren ist. Nur hier habt ihr Wasser, Futter und seid in Sicherheit vor den Wölfen.«

Meistens genügte das, um den Freiheitsdrang der Schafe zu bremsen.

Eines Tages wurde ein anderes Schaf geboren. Sagen wir mal, es war ein schwarzes Schaf. Es hatte einen rebellischen Geist und stachelte seine Gefährten an abzuhauen, nach draußen, auf die offenen Weiden.

Immer häufiger kam nun der alte Schäfer, um die Tiere vor den draußen lauernden Gefahren zu warnen. Aber es herrschte Unruhe unter den Schafen, und jedesmal, wenn sie aus dem Gehege gelassen wurden, wurde es schwieriger, sie wieder einzufangen.

Bis das schwarze Schaf die anderen Schafe eines Nachts davon überzeugt hatte auszubrechen.

Die Schäfer hatten bis zum Morgengrauen nichts davon bemerkt, erst da fiel ihnen das niedergetrampelte, verlassene Gehege auf.

Gemeinsam berichteten sie dem alten Familienoberhaupt davon.

»Die Schafe sind abgehauen, sie sind auf und davon!«

»Die armen...«

»Und wenn sie hungrig werden?«

»Und wenn sie Durst bekommen?«

»Und wenn der Wolf...?«

»Was wird bloß ohne uns aus ihnen werden?«

Der Alte hustete, sog an seiner Pfeife und sagte: »Ja, was wird bloß ohne uns aus ihnen werden? Aber viel schlimmer ist doch... Was wird wohl ohne sie aus uns?«

DER SCHWANGERE TOPF

Wie läuft's denn so mit deinen Eltern?«

»Ach, es geht auf und ab«, antwortete ich. »Manchmal verstehen wir uns phantastisch, und jeder kann sich in den anderen hineinversetzen, aber dann gibt es auch wieder Momente, da geht rein gar nichts. Aussichtslos.«

»Tja, Demian. Ich denke, so wird es dir dein ganzes Leben lang mit der gesamten Menschheit ergehen.«

»Ja, aber irgendwie ist es mit den Eltern etwas anderes. Es sind eben meine Eltern...«

»Ja, es sind deine Eltern, aber wieso soll das etwas anderes sein?«

»Als Eltern haben sie eine besondere Macht.«

»Was für eine Macht?«

»Macht über mich.«

»Du bist ein erwachsener Mensch, Demian. Und als solcher hat niemand Macht über dich. Niemand, hörst du? Zumindest nicht mehr als du ihm zugestehst.«

»Ich gestehe ihnen gar nichts zu.«

»Das sieht aber ein bißchen anders aus.«

»Ja schon, aber ich wohne in ihrem Haus, ich esse bei ihnen, sie kaufen meine Kleidung, sie zahlen einen Teil der Studiengebühren, meine Mutter macht mir die Wäsche, das Bett... Das gibt ihnen schon ein gewisses Recht.«

»Arbeitest du nicht?«

»Doch, natürlich arbeite ich.«

»Ja und? Ich kann verstehen, daß du unter ihrem Dach lebst, wenn du dir keine eigene Wohnung leisten kannst. Aber was die übrigen Dinge betrifft, glaube ich, da mußt du dich künftig um manches selbst kümmern, wenn es dir wirklich um deine Unabhängigkeit geht.«

»Worauf willst du hinaus? Hältst du mich etwa auch für einen Faulpelz wie meine Mutter? Als gäbe es nichts Wichtigeres als Bettenmachen, bevor man irgend etwas anderes anfängt.«

»Das denke ich nicht, aber du bist doch derjenige, der auf seine Freiheit und Unabhängigkeit pocht.«

»Ich brauche die Freiheit und Unabhängigkeit nicht, um mir was zu essen zu kochen, mein Bett zu machen oder meine Klamotten zu waschen. Was ich möchte, ist, nicht mehr für alles um Erlaubnis bitten zu müssen und das Recht zu haben, zu Hause nur das zu erzählen, was ich erzählen will, und den Rest für mich zu behalten.«

»Vielleicht bedingen sich ja diese beiden ›Freiheiten‹, Demian.«

»Ich möchte den Kontakt zu meinen Eltern nicht abbrechen.«

»Natürlich nicht, aber du forderst gewisse Rechte ein, verweigerst aber einen Teil der Pflichten, die sich daraus ergeben.«

»Ich kann mir doch aussuchen, in welchen Bereichen mir die Unabhängigkeit wichtig ist und in welchen es damit noch ein bißchen Zeit hat.«

»Vielleicht hilft dir folgende Geschichte dabei, die Dinge etwas klarer zu sehen.«

Eines Nachmittags wollte sich ein Mann bei seinem Nachbarn einen Topf ausborgen. Der Topfbesitzer war darüber nicht allzusehr erfreut, fühlte sich aber verpflichtet, den Topf zu verleihen.

Vier Tage später hatte er den Topf noch immer nicht zurück, also ging er zum Nachbarn und bat unter dem Vorwand, ihn selbst zu benötigen, um seine Herausgabe.

»Gerade wollte ich zu Ihnen kommen und ihn zurückbringen... Es war eine schwierige Niederkunft!«

»Was für eine Niederkunft?«

»Die Niederkunft des Topfes.«

»Wie bitte?«

»Ach, wußten Sie das gar nicht? Der Topf war schwanger.«

»Schwanger?«

»Ja, noch in derselben Nacht hat er Nachwuchs bekommen. Deswegen brauchte er eine kleine Erholungspause, aber jetzt ist er wieder auf den Beinen.«

»Auf den Beinen?«

»Ja, einen kleinen Moment bitte.«

Der Nachbar ging in seine Wohnung und kehrte mit dem Topf, einem Krug und einer Pfanne zurück.

»Die gehören mir nicht. Nur der Topf.«

»Nein, nein. Das sind schon Ihre. Das sind die Kinder des Topfes. Und wenn der Topf Ihnen gehört, dann gehören Ihnen auch seine Kinder.«

Der Mann hielt seinen Nachbarn für komplett ver- rückt. ›Am besten, ich lasse mich auf das Spiel ein‹, dachte er bei sich.

»Schönen Dank auch.«

»Nichts zu danken. Auf Wiedersehen.«

»Wiedersehen.«

Und der Mann kehrte mit dem Krug, der Pfanne und dem Topf in seine Wohnung zurück.

Am Nachmittag klingelte der Nachbar wieder an sei- ner Tür.

»Herr Nachbar, ob Sie mir einen Schraubenzieher und eine Zange borgen könnten?«

Diesmal fühlte sich der Mann noch mehr in der Pflicht als beim letzten Mal.

»Aber natürlich.«

Er ging ins Haus und kehrte mit der Zange und dem Schraubenzieher zurück.

Es verging fast eine Woche, und als der Mann gerade gehen wollte, um sein Werkzeug zurückzufordern, klin- gelte der Nachbar an seiner Tür.

»Hallo, Herr Nachbar, haben Sie das gewußt?«

»Was denn?«

»Daß die Zange und der Schraubenzieher ein Paar sind?«

»Sagen Sie bloß!« sagte der Mann mit weit aufgerisse- nen Augen. »Nein, das wußte ich nicht.«

»Ich war unvorsichtig, ich habe sie nur einen Moment allein gelassen, und da ist sie schwanger geworden.«

»Die Zange?«

»Die Zange. Ich habe Ihnen ihre Nachkommen mit-
gebracht.«

Und aus einem Korb holte er ein paar Schrauben,
Muttern und Nägel hervor, die, wie er sagte, die Zange
zur Welt gebracht hatte.

›Er ist komplett verrückt geworden‹, dachte der Mann.
Aber Nägel und Schrauben konnte man immer gebrauchen.

Zwei Tage vergingen, und schon war der zudringliche
Bittsteller wieder an der Tür.

»Als ich Ihnen neulich die Zange zurückbrachte«,
sagte er, »habe ich gesehen, was für eine hübsche Goldvase bei Ihnen auf dem Tisch steht. Ob Sie sie mir
freundlicherweise für eine Nacht ausleihen könnten?«

Dem Besitzer der Vase gingen die Augen über.

»Aber natürlich«, sagte er mit großzügiger Geste und
ging ins Haus, um das erbetene Stück zu bringen.

»Vielen Dank, Herr Nachbar.«

»Wiedersehen.«

»Auf Wiedersehen.«

Die Nacht verging, und auch die nächste, ohne daß
der Besitzer der Vase es gewagt hätte, bei seinem Nachbarn um deren Rückgabe zu bitten. Dennoch, nachdem
eine Woche vergangen war, konnte er seine Sorge nicht
mehr im Zaum halten und ging zum Nachbarn, um seine
Vase zurückzufordern.

»Die Vase?« sagte der Nachbar. »Ach, haben Sie es
noch nicht gehört?«

»Was denn?«

»Sie ist bei der Niederkunft gestorben.«

»Wie, bei der Niederkunft gestorben?«

»Ja, die Vase war schwanger und ist bei der Niederkunft gestorben.«

»Sagen Sie, halten Sie mich für völlig verblödet? Wie
kann eine Goldvase schwanger sein?«

»Aber Herr Nachbar. Die Schwangerschaft und die
Niederkunft des Topfes haben Sie hingenommen. Auch
die Hochzeit und die Nachkommenschaft von Schraubenzieher und Zange. Wie können Sie jetzt an der
Schwangerschaft und dem Tod der Vase zweifeln?«

»Du kannst tun und lassen, was du willst, Demian, aber
du kannst nicht nur dann unabhängig sein, wenn es dir in
den Kram paßt, und sobald es dir zu mühsam wird, wieder auf Mamas Schoß kriechen.

Dein Verstand, deine Freiheit, deine Unabhängigkeit
und deine Selbstverantwortung wachsen parallel zu deinem inneren Entwicklungsprozeß. Du selbst entscheidest,
ob du erwachsen sein willst oder dich weiter verhältst wie
ein Kind.«

DER LIEBENDE BLICK

Ich habe das Gefühl, meine Eltern sind alt geworden und nicht mehr so klar bei Verstand wie früher.«

»Und ich habe das Gefühl, du betrachtest sie nur von einem anderen Standpunkt aus.«

»Und was spielt das für eine Rolle? Was ist, das ist, sagst du doch immer.«

»Ich erzähl dir was.«

DER KÖNIG HATTE sich in Sabrina verliebt, eine Frau von niederem Stand, und sie zu seiner jüngsten Ehefrau gemacht.

Eines Nachmittags, der König war gerade auf der Jagd, überbrachte ein Bote die Nachricht, daß Sabrinas Mutter krank daniederlag. Und obwohl es bei Todesstrafe verboten war, die persönliche Kutsche des Königs zu benutzen, bestieg Sabrina den Wagen und eilte zum Haus ihrer Mutter.

Sofort nach seiner Rückkehr wurde der König darüber informiert.

»Ist das nicht fabelhaft?« sagte er. »Das ist wahre Tochterliebe. Sie hat ihr Leben aufs Spiel gesetzt, nur um ihre Mutter pflegen zu können. Es ist wunderbar!«

An einem anderen Tag saß Sabrina im Garten des

Palastes und aß Obst, als der König zu ihr trat. Sie begrüßte ihn und ließ ihn vom letzten übriggebliebenen
Pfirsich aus ihrem Korb abbeißen.

»Sie schmecken!« sagte der König.

»Und wie«, sagte Sabrina und überließ ihrem Geliebten die Frucht.

»Wie sehr sie mich liebt!« bemerkte der König später.
»Sie hat zu meinen Gunsten auf ihren letzten Pfirsich
verzichtet. Ist sie nicht bezaubernd?«

Einige Jahre gingen ins Land, und, aus welchem Grund
auch immer, Liebe und Leidenschaft waren aus dem
Herzen des Königs verschwunden.

Seinem besten Freund gegenüber sagte er: »Nie hat sie
sich wie eine Königin verhalten. Einmal hat sie mein Gebot übertreten und einfach die königliche Kutsche benutzt. Und ein anderes Mal hat sie sich erlaubt, mir eine
angebissene Frucht anzubieten.«

»Die Wirklichkeit ist immer dieselbe. Was ist, das ist. Dennoch kann der Mensch, wie in der Geschichte, eine Situation auf die eine oder auf die genau entgegengesetzte Art
interpretieren.

Sei vorsichtig mit deinen Wahrnehmungen, sagte schon
der weise Badwin.

*Wenn das, was du siehst, auch nur annähernd zu dem wird, was dir
am besten behagt – so mißtraue deinen Augen!«*

Die Triebe des Ombú-Baums

Kaum hatte ich das Sprechzimmer betreten, da sagte Jorge: »Ich habe da ein Märchen, das ich dir gern erzählen würde.«

»Ein Märchen? Wozu?«

»Keine Ahnung. Ich hatte das Gefühl, es könnte zu dir passen.«

»Also gut, laß hören«, sagte ich und vertraute mich ihm an.

Es war einmal ein sehr kleines Dorf.

So klein, daß es noch nicht einmal auf den großen Landkarten verzeichnet war.

So klein, daß es nur einen winzigen Platz hatte, und auf diesem einzigen Platz stand ein einziger Baum.

Die Bewohner aber liebten ihr Dorf, sie liebten den Platz und seinen Baum: ein riesiger Ombú-Baum, der genau in der Mitte des Platzes stand und somit im Mittelpunkt des Dorflebens. Jeden Abend, etwa so um sieben, nach getaner Arbeit, trafen sich die Männer und Frauen des Dorfes auf dem Platz, frisch gewaschen, gekämmt und gekleidet, um ein paar Runden um den Ombú-Baum zu drehen.

Jahrzehntelang trafen sich die jungen Leute, die Eltern der jungen Leute und ihre Elterseltern tagtäglich unter dem Ombú.

Jahr um Jahr wurden dort wichtige Geschäfte ausgehandelt, Gemeindebeschlüsse getroffen, Hochzeiten angebahnt und der Toten gedacht.

Eines Tages geschah etwas Außergewöhnliches und Wunderbares: Wie aus dem Nichts sproß aus einer Nebenwurzel ein grünes Zweiglein, und zwei winzige Blätter reckten sich der Sonne entgegen.

Es war ein Trieb. Der erste Trieb, den der Ombú in seiner ganzen bisherigen Lebensgeschichte hervorgebracht hatte.

Nachdem sich die erste Aufregung gelegt hatte, bildete sich ein Festausschuß, der dafür Sorge tragen sollte, daß das Ereignis gebührend gefeiert wurde.

Zur Überraschung der Organisatoren fanden sich aber nicht alle Dorfbewohner auf dem Festplatz ein. Es gab nämlich Leute, die fest davon überzeugt waren, daß der neue Trieb Schwierigkeiten mit sich bringen würde.

Nun geschah es, daß ein paar Tage, nachdem der erste Trieb hervorgebrochen war, ein zweiter sich den Weg bahnte. Innerhalb eines Monats waren zwanzig grüne Zweiglein aus den bereits ergrauten Wurzeln des Ombú gesprossen.

Die Freude der einen und die skeptische Teilnahmslosigkeit der anderen sollte nicht länger währen.

Der Platzwärter überbrachte die Nachricht. Irgend etwas war mit dem alten Ombú geschehen. Seine Blätter waren so gelblich wie noch nie, sie waren schwach und fielen leicht ab. Die Rinde am Stamm, ehemals fleischig und zart, war vertrocknet und spröde geworden. Der Wärter verkündete seine Diagnose:

»Der Ombú ist krank. Vielleicht wird er sterben.«

An diesem Abend entspann sich während des üblichen Spaziergangs eine Diskussion. Einige schoben es auf die neuen Triebe. Ihre Argumente waren konkret: Bevor es sie gab, war alles in Ordnung gewesen.

Die Verteidiger der Triebe sagten, das eine hätte mit dem anderen nichts zu tun, und die Triebe sicherten die Zukunft, falls dem Ombú einmal etwas zustoßen sollte.

Sobald die Positionen klar waren, bildeten sich zwei gegnerische Parteien. Für die einen stand der alte Ombú-Baum im Vordergrund, für die anderen die neuen Triebe.

Die Debatte wurde immer hitziger, und die Gruppen drifteten zusehends auseinander. Als die Nacht hereinbrach, einigte man sich, den Nachbarschaftsstreit auf den nächsten Tag zu verlegen, wenn sich die Gemüter etwas beruhigt hatten.

Aber die Gemüter beruhigten sich nicht. Am nächsten Tag sagten die Verteidiger des Ombú — so nannten sie sich inzwischen —, man müsse zu den Ursprüngen zurückkehren. Die neuen Zweige raubten dem alten Baum die Kraft wie Parasiten. Also müsse man sie abschneiden.

Die Verteidiger des Lebens, wie sich die zweite Gruppe getauft hatte, hörten bestürzt zu, denn auch sie hatten sich bereits getroffen, um über eine Lösung nachzudenken. Man müsse den alten Ombú fällen, denn seine Zeit sei abgelaufen. Er nehme den neuen Trieben nur

Licht und Wasser weg. Außerdem sei es völlig müßig, den Baum zu verteidigen, denn der sei ja praktisch schon tot.

Die Diskussion endete in einer Auseinandersetzung und die Auseinandersetzung in einem handfesten Streit, bei dem es nicht ohne Geschrei, Beleidigungen und Fußtritte zuging. Die Polizei löste den Tumult auf und schickte die Streithähne getrennt voneinander nach Hause.

Die Verteidiger des Ombú versammelten sich in dieser Nacht und einigten sich darauf, die Situation sei hoffnungslos, da ihre ignoranten Gegner nicht zu Verstand zu bringen waren. Deshalb müsse man handeln. Mit Baumscheren, Spaten und Hacken bewaffnet, beschlossen sie, zum Angriff überzugehen: Wären die Triebe erst einmal zerstört, so hätte man eine ganz andere Verhandlungsbasis geschaffen.

Zufrieden trafen sie auf dem Platz ein.

Als sie auf den Baum zugingen, sahen sie eine Gruppe von Leuten, die rund um den Ombú Holz aufschichteten. Die Verteidiger des Lebens trafen Vorbereitungen, ihn anzuzünden.

Die beiden Verteidiger-Gruppen brachen eine neue Diskussion vom Zaun, denn inzwischen hatten sich hier wie dort Haß, Groll und Zerstörungswut angestaut.

Während der Auseinandersetzung wurden einige Triebe abgebrochen und niedergetrampelt.

Auch der alte Ombú-Baum hatte tiefe Wunden an seinem Stamm und an den Zweigen erlitten.

Mehr als zwanzig Verteidiger beider Gruppierungen mußten die Nacht mit schwereren oder leichteren Blessuren im Krankenhaus verbringen.

Am nächsten Morgen bot der Platz einen gänzlich neuen Anblick. Die Verteidiger des Ombú hatten einen Zaun um den Baum gezogen und bewachten ihn unablässig mit vier bewaffneten Posten.

Die Verteidiger des Lebens ihrerseits hatten einen Graben ausgehoben und Stacheldraht rund um die verbliebenen Triebe gespannt, um jedwede Attacke abzuwehren.

Auch unter den übrigen Dorfbewohnern war die Situation unerträglich geworden: Jede Gruppe hatte in ihrem Bemühen, neue Anhänger zu finden, die Situation zum politischen Thema erklärt und die anderen Bewohner gezwungen, Partei zu ergreifen. Wer den Ombú-Baum verteidigte, war daher ein Feind der Verteidiger des Lebens, und wer die Triebe verteidigte, mußte daher den Verteidigern des Ombú-Baums den Krieg erklären.

Endlich beschloß man, die Sache vor den Friedensrichter zu bringen, ein Amt, das damals der Pfarrer der kleinen Dorfkirche ausübte; sein Urteil sollte am nächsten Sonntag bekanntgegeben werden.

Nur durch ein Seil voneinander abgetrennt, beschimpften und beleidigten sich beide Gruppen aufs ärgste. Das Geschrei war entsetzlich, und niemand konnte sich Gehör verschaffen.

Da öffnete sich die Tür, und gefolgt von den Blicken

der beiden Streitparteien schritt ein alter Mann, gestützt auf seinen Stock, den Gang entlang.

Dieser Alte, inzwischen mußte er über hundert Jahre alt sein, war es gewesen, der in seiner Jugend das Dorf gegründet, die Straßen geplant, die Grundstücke abgesteckt und natürlich auch den Ombú-Baum gepflanzt hatte.

Er genoß hohe Anerkennung, und aus seinen Worten sprach die Klugheit, die ihm sein gesamtes Leben lang eigen gewesen war.

Der Alte schlug die Hände aus, die sich ihm zur Hilfe anerboten, bestieg unter Mühen das Podium und sprach zu den Leuten.

»Ihr Vollidioten!« rief er. »Ihr nennt euch selbst Verteidiger des Ombú, Verteidiger des Lebens... Verteidiger wollt ihr sein? Ihr seid nicht in der Lage, auch nur das Geringste zu verteidigen. Das einzige, was ihr im Kopf habt, ist, denjenigen zu schaden, die anderer Meinung sind als ihr.

Ihr wißt gar nicht, wie falsch ihr liegt, und zwar die einen wie die anderen.

Der Ombú ist kein Stein. Er ist ein Lebewesen, und als solches hat er einen Lebenskreislauf. Und Ziel dieses Kreislaufs ist es, Leben weiterzugeben, damit seine Mission fortgeführt werden kann. Dazu gehört es auch, Triebe auszubilden, die neue Ombú-Bäume hervorbringen.

Aber die Triebe entstehen ja nicht aus dem Nichts, ihr Schwachköpfe. Sie können gar nicht leben, wenn der

Baum stirbt, und das Dasein des Baumes wäre sinnlos, könnte er sich nicht in neues Leben verwandeln.

Seid bereit, Verteidiger des Lebens. Stellt euch darauf ein und wappnet euch. Denn bald kommt die Zeit, da müßt ihr Feuer an das Haus eurer Eltern legen, solange sie noch darin wohnen. Bald werden sie alt werden und euch im Wege stehen.

Seid bereit, Verteidiger des Ombú. Vergreift euch an den Trieben. Ihr müßt willens sein, eure Kinder niederzustrecken und zu töten, wenn sie euch ablösen und über euch hinauswachsen wollen.

Und ihr nennt euch Verteidiger! Wo ihr nichts als Zerstörung im Sinn habt...

Und ihr merkt nicht einmal, daß ihr durch das Zerstören und Weiterzerstören unwiederbringlich all das zerstört, was ihr verteidigen wollt.

Denkt nach! Euch bleibt nicht mehr viel Zeit.«

Und als er seine Rede beendet hatte, stieg der alte Mann langsam vom Podium und bahnte sich unter dem Schweigen der Anwesenden seinen Weg zur Tür. Und ging.

Jorge blieb ruhig. Ich konnte nicht anders, ich mußte weinen. Ich stand auf und verließ schweigend den Raum. Zwar war ich müde, aber eins wußte ich genau: Es gab noch viel zu tun!

DAS LABYRINTH

Jorge hatte eine Geschichte geschrieben, und weil ich ihn darum gebeten hatte, weil er Lust dazu hatte oder vielleicht wegen beidem, las er sie mir vor.

SCHON IMMER HATTE sich Joroska für Rätsel interessiert. Von klein auf hatte er mit Vorliebe Kreuzworträtsel und Denksportaufgaben gelöst, Geheimschriften entziffert, Labyrinthe erforscht und war jedem Mysterium auf die Schliche gekommen, das sich ihm geboten hatte.

Mit mehr oder minderem Erfolg hatte er einen Großteil seines Lebens und seiner Hirnkapazität der Lösung von Problemen gewidmet, die andere sich ausgedacht hatten. Natürlich war er nicht allwissend, es waren ihm immer wieder Rätsel untergekommen, die selbst für ihn zu kompliziert waren.

Fand er sich einem solchen gegenüber, hatte Joroska ein gewisses Ritual: Er sah es lange an und stellte schließlich mit fachmännischem Blick fest, ob es sich tatsächlich um ein unlösbares Problem handelte.

War das der Fall, holte Joroska tief Luft und machte sich nichsdestotrotz an seine Lösung. Doch gleich darauf begann eine Phase der Frustration, und Joroska verbiß sich nur noch fester in die Rätselanalyse.

Die Fragen schienen unlösbar, Sackgassen taten sich auf, manche Symbole führten in die Irre, unbekannte Begriffe und unabsehbare Komplikationen stellten sich ihm in den Weg.

Vor einiger Zeit hatte Joroska entdeckt, daß er gewisse Erfolgserlebnisse im Leben brauchte. War das der Grund, warum ihm die Rätsel inzwischen nicht mehr solche Freude bereiteten?

Schon nach dem ersten Versuch überkam ihn in der Regel eine tödliche Langeweile, und er ließ die Sache ruhen, um sich irgendwo in seinem Hinterstübchen über den idiotischen Schöpfer solcher Aufgaben zu mokieren, der sicherlich selbst mit ihrer Lösung überfordert wäre.

Aus der Tatsache, daß ihn auch die leichten Fälle schnell langweilten, folgerte er, daß Rätsel stets paßgenau auf ihre Rätsellöser zugeschnitten waren und nur sie selbst den richtigen Schwierigkeitsgrad für sich kannten.

Im Idealfall schneiderte sich jeder sein Rätsel selbst auf den Leib, dachte er. Aber sofort wurde ihm klar, daß damit das Rätsel sein Geheimnis verlor, denn natürlich kannte jeder Erfinder zugleich auch die maßgeschneiderte Lösung für das Problem.

Ein bißchen aus Spieltrieb und ein bißchen vom Gedanken geleitet, Leuten zu helfen, die wie er Spaß am Rätselraten hatten, begann er Probleme zu erfinden, Wortspiele, Zahlenrätsel, logische Kniffelaufgaben und abstrakte Fragestellungen jedweder Art.

Sein Meisterstück aber war die Erfindung eines Labyrinths.

Eines ruhigen sonnigen Tages begann er in einem der Zimmer seiner riesigen Wohnung Wände hochzuziehen, und Stein um Stein errichtete er in naturgetreuem Maßstab ein riesiges Labyrinth.

Die Jahre vergingen. Seine Rätsel verbreitete er unter Freunden, in Fachzeitschriften und der ein oder anderen Tageszeitung. Das Labyrinth aber behielt er unter Verschluß: Es wuchs und wuchs innerhalb seines Hauses und veränderte sich ständig.

Joroska machte es von Mal zu Mal komplizierter, fast unmerklich baute er immer weitere Irrwege ein.

Dieses Werk entwickelte sich zu einer Lebensaufgabe. Es verging kein Tag, an dem Joroska nicht irgendeinen Ziegelstein hinzufügte, einen Ausgang vermauerte oder eine Kurve verlängerte, um den Parcours zu erschweren.

Nach gut und gerne zwanzig Jahren nahm das Labyrinth das gesamte Zimmer ein und hatte sich bereits unmerklich auf den Rest des Hauses ausgedehnt.

Um vom Schlafzimmer ins Bad zu kommen, mußte man acht Schritte geradeaus gehen, links abbiegen und nach sechs weiteren Schritten wieder rechts, dann drei Stufen hinuntersteigen, wieder fünf Schritte geradeaus, noch mal rechts abbiegen, über ein Hindernis springen, und dann stand man vor der Tür.

Um zur Terrasse zu gelangen, mußte man sich über die linke Mauer schwingen, ein paar Meter robben und auf einer Strickleiter in die oberste Etage klettern.

Das ganze Haus verwandelte sich allmählich in ein Labyrinth im Maßstab eins zu eins.

Am Anfang war er sehr stolz auf sein Werk. Er vergnügte sich damit, die verschiedenen Gänge zu durchwandeln, die ihn immer wieder in die Irre führten, obschon er selbst sie entworfen hatte, denn es war einfach unmöglich geworden, all die Wege im Gedächtnis zu behalten.

Es war ein auf ihn zugeschnittenes Labyrinth.

Maßgeschneidert nur für ihn.

Irgendwann begann Jorosko, sich Leute nach Hause, in sein Labyrinth einzuladen. Aber selbst die, die sich anfangs brennend dafür interessiert hatten, begannen sich, wie er selbst bei fremden Rätseln, innerhalb kürzester Zeit zu langweilen.

Joroska bot sich an, Hausführungen zu machen, aber häufig trat schon sehr bald Aufbruchstimmung ein. Die Besucher waren sich meist einig: »So kann man doch nicht leben!«

Irgendwann hatte Joroska seine ewige Einsamkeit satt und zog um in ein Haus ohne Labyrinthe, wo er problemlos Gäste empfangen konnte.

Sobald er jedoch jemanden kennenlernte, der ihm ein bißchen helle erschien, zeigte er ihm sein wahres Zuhause.

Genau wie der Pilot im *Kleinen Prinzen* mit seiner geöffneten oder geschlossenen Riesenboa, öffnete Joroska sein Labyrinth denjenigen, die einer solchen Offenbarung würdig waren.

Aber nie fand Joroska jemanden, der bereit gewesen wäre, mit ihm dort zu leben.

Jorge, warum ist man eigentlich nie zufrieden?«

»Was?«

»Ja, manchmal denke ich das wirklich. Die Beziehung mit Gabriela läuft prima, viel besser als früher, aber nie so, wie ich mir das wünsche. Ich weiß nicht. Es fehlt die Leidenschaft, das Feuer, die Abwechslung. An der Uni passiert das gleiche: Ich geh in die Seminare, ich pauke, ich lege meine Prüfungen ab und bestehe sie. Aber irgendwas fehlt halt. Ich bin unzufrieden und hab einfach nicht das Gefühl, mein Traumfach zu studieren. Genau wie bei der Arbeit. Ich fühle mich wohl, sie bezahlen mir ein gutes Gehalt, aber eben nicht so viel, wie ich gern verdienen würde.«

»Und so ist es bei allem?«

»Ich glaube schon. Ich kann mich nie zurücklehnen und sagen ›so ist es gut, jetzt stimmt alles‹. Das gleiche passiert mir mit meinem Bruder, meinen Freunden, mit dem Geld und mit meinem Körper... Mit allem, was mir wichtig ist.«

»Vor ein paar Wochen hast du dir noch Sorgen darüber gemacht, was bei dir zu Hause los ist, erinnerst du dich?«

»Ich weiß, da gab es eben noch größere Sorgen, die die anderen verdrängt haben. Heute geht es mir um das I-Tüpfelchen, um das, was dem Rest erst die richtige Würze geben würde.«

»Dein Problem beginnt also erst dann, wenn alle großen Probleme gelöst sind.«

»So ist es.«

»Das heißt, das Problem tritt auf, wenn du keine Probleme hast.«

»Wie meinst du das?«

»Eben, wenn alles gut wird.«

»Ja... vielleicht.«

»Sag mal, Demian. Wie ist das, zuzugeben, daß du ein Problem hast, das auftritt, wenn alles gut wird?«

»Ich komme mir ziemlich blöd vor.«

»Was ist, das ist«, sagte der Dicke. »Ich habe dir schon lang keine Geschichte mehr mit einem König erzählt.«

»Stimmt.«

»Es war einmal, sagen wir, ein klassischer König.«

»Was ist ein klassischer König?«

»Ein klassischer Märchenkönig ist ein sehr mächtiger Mann mit einem riesigen Vermögen, einem prachtvollen Palast, einem Heer von zuvorkommenden Bediensteten, wunderschönen Ehefrauen. Ein Mann, der alles haben kann, was er will, und der trotzdem nicht glücklich ist.«

»Aha.«

»Und je klassischer das Märchen ist, desto unglücklicher ist der König.«

»Und besagter König, wie klassisch war der?«

»Sehr klassisch.«

»Der Arme.«

ES WAR EINMAL ein sehr unglücklicher König, der hatte einen Diener, der wie alle Diener von unglücklichen Königen sehr glücklich war.

Jeden Morgen weckte er den König, brachte ihm das Frühstück und summte dabei fröhliche Spielmannslieder. In seinem Gesicht zeichnete sich ein breites Lächeln ab, und seine Ausstrahlung war stets heiter und positiv.

Eines Tages schickte der König nach ihm.

»Page«, sagte er. »Was ist dein Geheimnis?«

»Mein Geheimnis, Majestät?«

»Was ist das Geheimnis deiner Fröhlichkeit?«

»Da gibt es kein Geheimnis, Majestät.«

»Lüg mich nicht an, Page. Ich habe schon Köpfe abschlagen lassen für weniger als eine Lüge.«

»Ich belüge Euch nicht, Majestät. Ich habe kein Geheimnis.«

»Warum bist du immer fröhlich und glücklich? Hm, sag mir, warum?«

»Herr, ich habe keinen Grund, traurig zu sein. Eure Majestät erweist mir die Ehre, Euch dienen zu können. Ich lebe mit meinem Weib und meinen Kindern in einem Haus, das uns der Hof zugeteilt hat. Man kleidet und nährt uns, und manchmal, Majestät, gebt Ihr mir die ein oder andere Münze, damit ich mir etwas Besonderes leisten kann. Wie sollte ich da nicht glücklich sein?«

»Wenn du mir nicht gleich dein Geheimnis verrätst, lasse ich dich enthaupten«, sagte der König. »Niemand kann aus solchen Gründen glücklich sein.«

»Aber Majestät, es gibt kein Geheimnis. Wie gern wäre ich Euch zu Gefallen, aber ich verheimliche nichts.«

»Geh, bevor ich den Henker rufen lasse!«

Der Diener lächelte, machte eine Verbeugung und verließ den Raum.

Der König war völlig außer sich. Er konnte sich einfach nicht erklären, wie dieser Page so glücklich sein konnte, der sich als Leibeigener verdingen mußte, alte Kleidung auftrug und sich von dem ernährte, was von der königlichen Tafel übrigblieb.

Als er sich beruhigt hatte, rief er den weisesten seiner Berater zu sich und berichtete ihm von dem Gespräch, das er an diesem Morgen geführt hatte.

»Warum ist dieser Mensch glücklich?«

»Majestät, er befindet sich außerhalb des Kreises.«

»Außerhalb des Kreises?«

»So ist es.«

»Und das macht ihn glücklich?«

»Nein, mein Herr. Das ist das, was ihn nicht unglücklich sein läßt.«

»Begreife ich das recht: Im Kreis zu sein macht einen unglücklich?«

»So ist es.«

»Und er ist es nicht.«

»So ist es.«

»Und wie ist er da wieder herausgekommen?«

»Er ist niemals eingetreten.«

»Was ist das für ein Kreis?«

»Der Kreis der neunundneunzig.«

»Ich verstehe nicht.«

»Das kann ich nur an einem praktischen Beispiel erklären.«

»Wie das?«

»Laß deinen Pagen in den Kreis eintreten.«

»Ja, zwingen wir ihn zum Eintritt.«

»Nein, Majestät. Niemand kann dazu gezwungen werden, in den Kreis einzutreten.«

»Also muß man ihn überlisten.«

»Das ist nicht nötig, Majestät. Wenn wir ihm die Möglichkeit dazu geben, wird er ganz von selbst eintreten.«

»Aber er merkt nicht, daß er sich dadurch in einen unglücklichen Menschen verwandelt?«

»Doch, er wird es merken.«

»Dann wird er nicht eintreten.«

»Er kann gar nicht anders.«

»Du behauptest, er merkt, wie unglücklich es ihn macht, in diesen albernen Kreis einzutreten, und trotzdem tut er es, und es gibt keinen Weg zurück?«

»So ist es, Majestät. Bist du bereit, einen ausgezeichneten Diener zu verlieren, um die Natur dieses Kreises zu begreifen?«

»Ja, ich bin bereit.«

»Gut. Heute nacht werde ich kommen und dich abholen. Du mußt einen Lederbeutel mit neunundneunzig Goldstücken bereithalten. Neunundneunzig, keins mehr, keins weniger.«

»Was noch? Soll ich meine Leibwächter mitnehmen für den Fall, daß...?«

»Nur den Lederbeutel. Bis heute nacht, Majestät.«

»Bis heute nacht.«

Und so geschah es. In dieser Nacht holte der Weise den König ab. Gemeinsam verließen sie unerkannt den Hof und versteckten sich in der Nähe des Hauses des Pagen. Dort warteten sie auf den Tagesanbruch.

Im Haus wurde die erste Kerze angezündet. Der Weise steckte einen Zettel an den Beutel, auf dem stand:

> *Dieser Schatz gehört Dir.*
> *Es ist die Belohnung dafür,*
> *daß Du ein guter Mensch bist.*
> *Genieße ihn*
> *und sag niemandem,*
> *wie Du an ihn gelangt bist.*

Dann band er den Beutel an die Haustür des Dieners, klingelte und versteckte sich wieder.

Der Page kam heraus, und von ihrem Versteck im Gebüsch aus beobachteten der Weise und der König das weitere Geschehen.

Der Bedienstete öffnete den Beutel, las die Nachricht, schüttelte den Sack, und als er das metallische Geräusch aus seinem Inneren vernahm, zuckte er zusammen, drückte den Schatz an seine Brust, sah sich um, ob ihn auch niemand beobachtete, und ging ins Haus zurück.

Von draußen hörte man, wie der Diener die Tür verriegelte, und so näherten die Spione sich dem Fenster, um die Szene zu beobachten.

Der Diener hatte alles, was sich auf dem Tisch befand, mit einem Handstreich auf den Boden gewischt, bis auf eine Kerze. Er hatte sich hingesetzt, den Inhalt des Beutels auf den Tisch geleert und traute seinen Augen kaum.

Es war ein Berg aus Goldmünzen!

Er, der in seinem ganzen Leben auch nicht eine einzige verdient hatte, besaß nun einen ganzen Berg davon.

Er berührte und er häufelte sie. Er streichelte sie und betrachtete sie im Widerschein der Kerze. Er strich sie zusammen und verteilte sie wieder auf dem Tisch, um sie danach zu Säulen aufzustapeln.

So vergnügte er sich mit seinem Schatz, bis er schließlich begann, Häuflein zu zehn Münzen zu machen. Ein Zehnerhaufen, zwei Zehnerhaufen, drei Zehnerhaufen, vier, fünf, sechs... Er zählte sie zusammen: zehn, zwanzig, dreißig, vierzig, fünfzig, sechzig... Bis zum letzten Häuflein, das nur aus neun Münzen bestand!

Zunächst suchten seine Augen den Tisch ab, in der Hoffnung, die fehlende Münze zu finden. Dann schaute er auf den Boden und schließlich in den Beutel.

›Das ist unmöglich‹, dachte er. Er schob den letzten Haufen neben die anderen, und tatsächlich, er war kleiner.

»Man hat mich beraubt!« schrie er. »Man hat mich beraubt! Das ist Diebstahl.«

Wieder schweifte sein Blick über den Tisch, über den Boden, in den Beutel, in seine Kleider, in seine Taschen,

unter die Möbel ... Aber die gesuchte Münze blieb ver-
schollen.

Wie um ihn zu foppen, funkelte auf dem Tisch ein
Haufen Goldstücke und erinnerte ihn daran, daß es nur
neunundneunzig waren. Nur neunundneunzig.

›Neunundneunzig Münzen. Das ist eine Menge Geld‹,
dachte er. ›Aber ein Goldstück fehlt. Neunundneunzig ist
keine runde Zahl. Hundert ist rund, doch nicht neunundneunzig.‹

Der König und sein Ratgeber spähten zum Fenster
hinein. Das Gesicht des Pagen hatte sich verändert. Seine
Stirn lag in Falten, und die Miene war angespannt. Die
Augen hatte er zu Schlitzen gepreßt, und um seinen
Mund spielte ein verzerrtes Lächeln.

Der Diener steckte die Münzen in den Beutel zurück,
vergewisserte sich, daß ihn niemand im Haus beobachtete, und versteckte den Beutel zwischen der Wäsche.
Dann nahm er Papier und Feder und setzte sich an den
Tisch, um eine Rechnung aufzustellen.

Wie lange mußte er sparen, um Goldstück Nummer
hundert zu bekommen?

Der Diener führte Selbstgespräche.

Er war bereit, hart dafür zu arbeiten. Danach würde
er womöglich niemals wieder etwas tun müssen.

Mit hundert Goldstücken konnte man aufhören zu
arbeiten.

Mit hundert Goldstücken ist man reich.

Mit hundert Goldstücken kann man ein ruhiges Leben führen.

Er beendete seine Berechnungen. Wenn er hart arbeitete und sein Gehalt und etwaige Trinkgelder sparte, konnte er in elf oder zwölf Jahren genügend für ein weiteres Goldstück beisammen haben.

›Zwölf Jahre sind eine lange Zeit‹, dachte er.

Vielleicht konnte er seine Frau überreden, sich für eine Weile im Dorf zu verdingen. Und er arbeitete schließlich nur bis um fünf Uhr im Palast. Nachts konnte er noch etwas hinzuverdienen.

Er überlegte: Wenn man seine Arbeit im Dorf und die seiner Ehefrau zusammenrechnete, konnten sie in sieben Jahren das Geld beieinander haben.

Das war zu lang.

Vielleicht konnte er das Essen, das ihnen übrigblieb, ins Dorf bringen und es für ein paar Münzen verkaufen. Je weniger sie also essen würden, desto mehr könnten sie verdienen.

Verdienen, verdienen.

Es würde warm werden. Wozu brauchten sie soviel Winterkleidung? Wozu brauchte man mehr als ein Paar Hosen?

Es war ein Opfer. Aber in vier Opferjahren hätten sie Goldstück Nummer hundert.

Der König und der Weise kehrten in den Palast zurück.

Der Page war in den Kreis der neunundneunzig eingetreten.

Während der kommenden zwei Monate verfolgte der Bedienstete seinen Plan genau, wie er ihn in jener Nacht entworfen hatte. Eines Morgens klopfte er übelgelaunt und gereizt an die Tür des königlichen Schlafzimmers.

»Was ist denn mit dir los?« fragte der König höflich.

»Mit mir? Gar nichts.«

»Früher hast du immer gesungen und gelacht.«

»Ich tue meine Arbeit, oder etwa nicht? Was wünschen Ihre Majestät? Soll ich Euch auch noch Hofnarr und Barde sein?«

Es dauerte nicht mehr allzulang, da entließ der König den Diener. Er fand es unangenehm, einen Pagen zu haben, der immer schlecht gelaunt war.

»Und als wir heute so geredet haben, ist mir dieses Märchen vom König und seinem Diener wieder eingefallen.

Du und ich, wir alle sind nach dieser blöden Regel erzogen worden. Immer fehlt uns noch ein Stück, um zufrieden zu sein, und nur, wenn man zufrieden ist, kann man das genießen, was man hat.

Wir haben gelernt, daß sich das Glück einstellt, sobald wir das fehlende Stück haben.

Und da uns immer etwas fehlt, kehrt der Gedanke an seinen Ausgangspunkt zurück, und man kann niemals das Leben genießen.

Aber was wäre, wenn wir plötzlich die Erleuchtung hätten und ganz plötzlich merkten, daß unsere neunundneunzig Münzen hundert Prozent des Schatzes sind.

Daß uns gar nichts fehlt, daß uns niemand etwas weggenommen hat, daß die Hundert gar keine rundere Zahl ist als die Neunundneunzig.

Daß das alles bloß eine Falle ist, eine Möhre, die man uns vor die Nase gehängt hat, damit wir so blöd sind und den Karren ziehen, müde, schlecht gelaunt, unglücklich und resigniert.

Eine Falle, damit wir nie aufhören, uns anzutreiben, und damit immer alles beim alten bleibt. Auf ewig beim alten!

Wie viele Dinge würden sich ändern, wenn wir unsere Schätze so genießen könnten, wie sie sind.

Aber Vorsicht, Demian. Zu erkennen, daß neunundneunzig ein Vermögen ist, heißt nicht, daß man seine Ziele aufstecken muß. Es bedeutet nicht, daß du dich mit allem zufriedengeben sollst.

Denn etwas akzeptieren ist eine Sache und resignieren eine andere.

Aber das ist wieder eine andere Geschichte.«

DER ZENTAUR

Ich dachte noch die ganze Woche an das Märchen vom Kreis der neunundneunzig. Ich hielt meine Münzen zusammen, aber während ich noch sparte, waren andere schon ein ganzes Stück weiter.

Als ich in die Sitzung kam, wußte ich immer noch nicht so recht, was mit mir los war, und so beschloß ich, das Thema nicht anzuschneiden.

Die ganze Zeit redete ich um den heißen Brei herum, wir sprachen übers Wetter, über die Ferien, über Autos und über Frauen.

Kurz vor Ende der Stunde sagte ich Jorge, ich hätte das Gefühl, heute nur Zeit verplempert und die Sitzung vergeudet zu haben.

»Denk an den Holzfäller, der seine Axt nicht geschärft hat, Demian. Vielleicht ist eine leichte, dir läppisch vorkommende Sitzung ein Weg, sich zu schärfen.«

»Wenn ich das vorgehabt hätte, hätte ich genausogut gar nicht erst kommen brauchen.«

»Natürlich hättest du nicht kommen brauchen. Das wäre zwar nicht genausogut gewesen, weder für dich noch für mich, aber du hättest nicht kommen brauchen.«

»Du bist mir eine Marke.«

»Sicher. Und du erst.«

»Aber du noch mehr«

»Na schön, akzeptiert. Aber zurück zur Frage, ob du hättest kommen sollen oder nicht. Als ich noch Medizinstudent war, hatte ich einen Professor, der Vorlesungen über Geburtshilfe hielt. Er war sehr liebenswürdig und nahm sich nach der Vorlesung immer eine halbe Stunde Zeit, um Fragen zu beantworten.«

»HERR PROFESSOR, WAS ist das beste Verhütungsmittel?« fragte eines Tages eine der Studentinnen.

»Tja, mein Fräulein. Das ideale Verhütungsmittel müßte finanziell erschwinglich sein, leicht anzuwenden und absolut sicher...«, begann der Professor.

»Aber gibt es denn eine hundertprozentig sichere Methode?« fragte ein blonder Schönling aus der dritten Reihe.

»Die sicherste, erschwinglichste und am einfachsten anzuwendende Methode ist die Kaltwassermethode!«

»Und wie sieht die aus?« fragten einige, auch das Mädchen, das das Thema angeschnitten hatte.

»Wenn Ihr Partner gerne mit Ihnen schlafen möchte, müssen Sie zwei oder drei Gläser gut gekühltes Wasser trinken, hintereinander und in kleinen Schlucken.«

»Vor oder nach dem Akt?«

»Weder noch«, sagte der Prof. »Statt dessen.«

»Vielleicht hast du an solchen Tagen, an denen du nicht ganz bei der Sache bist, mehr von der Therapie, wenn du zum Beispiel ins Kino gehst oder sonst etwas tust, was dir Freude bereitet, dich mit einem Freund triffst oder ein ausgedehntes Nickerchen machst. Wie hat mein Professor gesagt: weder vorher noch nachher, sondern *währenddessen*. Alles, was dir guttut, ist Therapie.«

»Aber das bedeutet, eine Entscheidung treffen zu müssen. Ich glaube, das Problem beginnt, sobald man die Wahl hat.«

Der Dicke schaute mich etwas entgeistert an, und ich ahnte schon, was er sagen würde.

»Nein, Jorge. Ich sage nicht, daß ich lieber keine Wahl hätte, und genausowenig möchte ich meine Freiheit aufgeben«, verteidigte ich mich.

»Du willst einfach keine Entscheidung treffen müssen.«

»Nein, genau das will ich nicht.«

»Aber du müßtest doch wissen, daß wir Menschen zwar eine Einheit sind, jedoch verschiedene Teile in uns haben. Die einen sind stärker ausgeprägt als die anderen, manche sind klar umrissen, andere eher schwammig, und manche haben diese Bedürfnisse und die anderen andere.«

»Dann kann man ja nie irgend etwas richtig entscheiden«, protestierte ich.

»Und auch das ist riskant«, sagte der Dicke und machte es sich auf einem Kissen am Boden bequem.

Ich nahm mir auch eins und bereitete mich auf eine neue Geschichte vor.

Der Dicke sprach weiter.

»Als meine Tochter fünf Jahre alt war, kauften meine Frau und ich eifrig Märchenbücher, die wir ihr und ihrem Bruder dann vor dem Einschlafen vorlasen. In einem dieser Kinderbücher fand sich ein Märchen, das *Der Zentaur* hieß. Ich werde es dir erzählen, weil ich mittlerweile fast glaube, daß es für dich geschrieben worden ist.«

ES WAR EINMAL ein Zentaur, der war, wie alle Zentauren, halb Mensch und halb Pferd.

Eines Nachmittags, während er so über die Wiese trottete, überkam ihn Hunger.

›Was soll ich essen?‹ dachte er. ›Einen Hamburger oder Klee? Klee oder einen Hamburger?‹

Und da er sich nicht entscheiden konnte, aß er nichts.

Die Nacht brach herein, und der Zentaur wollte schlafen gehen.

›Wo soll ich wohl schlafen?‹ dachte er. ›Im Stall oder im Hotel? Im Hotel oder im Stall?‹

Und weil er sich nicht entscheiden konnte, schlief er nicht.

Weil er weder aß noch schlief, wurde der Zentaur krank.

›Wen soll ich bloß herbeirufen?‹ dachte er. ›Einen Arzt oder einen Veterinär? Einen Veterinär oder einen Arzt?‹

Und weil er sich nicht entscheiden konnte, wen er herbeirufen sollte, starb der Zentaur an seiner Krankheit.

Die Leute im Dorf besahen sich den Leichnam und hatten Mitleid mit ihm.

»Wir müssen ihn begraben«, sagten sie. »Nur wo? Auf

dem Dorffriedhof oder auf dem Feld? Auf dem Feld oder auf dem Dorffriedhof?«

Und weil sie sich nicht entscheiden konnten, fragten sie den Autor des Buches, und weil der nicht an ihrer Statt entscheiden konnte, rief er den Zentaur ins Leben zurück.

Und wenn sie nicht gestorben sind, dann leben sie noch heute.

ZWEIMAL DIOGENES

Ich möchte noch mal auf die Sache mit dem Kreis zurückkommen.«

»Ja?«

»Mir scheint, ich habe die Parabel vom König und dem Diener begriffen. Und das Schlimme ist, ich habe mich darin wiedererkannt. Es ist tatsächlich so, jedesmal, wenn sich weit und breit keine größeren Komplikationen abzeichnen, fange ich an zu suchen, was hier oder dort noch fehlt, damit es vollkommen ist. Ich sage das und finde es furchtbar, aber ich kann einfach nichts dagegen tun.«

»Die Gesellschaft, in der wir leben, läßt einen ziemlich schnell spüren, welchen Stellenwert sie einem beimißt.«

»Und warum ist das wohl so?«

»Weil man in der postindustriellen Gesellschaft nicht mehr von dem ausgeht, was man ist, sondern von dem, was man hat, so sagt schon Erich Fromm. Und um uns von der Richtigkeit ihrer These zu überzeugen, haben sie uns einen Merksatz eingetrichtert, der uns ganz natürlich vorkommt, solange wir uns ihm nicht entziehen. Es ist ein Satz, der uns gleichzeitig als Antrieb und als Falle dient.«

»Ein Satz?«

»Ja, ein Satz. Er lautet:

Was wäre ich glücklich mit dem, was ich nicht habe.

Und was ich nicht habe, ist nicht das Auto, das Haus, das hohe Einkommen und auch nicht der Partner. Was ich nicht habe, ist eben Das‿was‿ich‿nicht‿habe, also etwas völlig Unerreichbares.

Oder in anderen Worten: Wenn es mir gelingt, das zu haben, Was‿ich‿nicht‿habe, macht es mich nicht glücklich, weil dieses Etwas (Auto, Haus, Freundin etc.) in dem Moment, wo ich es mein Eigen nenne, aufhört, das zu sein, Was‿ich‿nicht‿habe, und laut Merksatz kann ich nur mit dem glücklich werden, Was‿ich‿nicht‿habe.«

»Aber das ist ja ein Faß ohne Boden!«

»Das stimmt, solange man das Axiom nicht abändern kann.«

»Und, kann man es denn ändern?«

»Jede Regel, jeder Lehrsatz läßt sich überdenken, um ihn zu bestätigen oder zu korrigieren. Der Preis, den man dafür zahlen muß, ist, daß einem die Werteordnung durcheinandergerät und man so lange herumirrt, bis man eine neue Ordnung gefunden hat, die mit dem neuen Lebensgefühl übereinstimmt. Aber erst mal hier angelangt, wartet die Belohnung: die Wertschätzung dessen, was du hast, und die Möglichkeit, es so zu genießen, wie du bist.«

VON DIOGENES ERZÄHLT man, daß er in Lumpen gekleidet durch die Straßen von Athen ging und in den Hausfluren schlief.

Man sagt, daß eines Morgens, als Diogenes noch schlaftrunken im Hausflur seiner nächtlichen Schlafstelle lag, ein wohlhabender Grundbesitzer dort vorüberging.

»Guten Tag«, sagte der Herr.

»Guten Tag«, antwortete Diogenes.

»Ich hatte eine sehr erfolgreiche Woche, und deshalb bin ich gekommen, um dir diesen Geldbeutel zu geben.«

Diogenes sah ihn schweigend an, ohne sich zu rühren.

»Nimm ihn. Es ist ohne Hintergedanken. Das Geld gehört mir, und ich gebe es dir, ich weiß, daß du es nötiger hast als ich.«

»Hast du noch mehr davon?« fragte Diogenes.

»Natürlich«, antwortete der Reiche, »viel mehr.«

»Und du möchtest nicht noch mehr haben, als du bereits besitzt?«

»Natürlich hätte ich gern mehr.«

»Dann behalt dein Geld, denn du hast es nötiger als ich.«

Manche behaupten, der Dialog sei folgendermaßen weitergegangen: »Aber auch du mußt essen, und dafür brauchst du Geld.«

»Ich habe Geld«, sagte Diogenes und zeigte dem Grundbesitzer eine Münze, »das reicht mir für eine Schale Weizen zum Frühstück und vielleicht für ein paar Orangen.«

»Das sehe ich ein, aber du mußt doch auch morgen

essen und übermorgen. Woher nimmst du dann das Geld?«

»Wenn du mir versprechen kannst, daß ich morgen noch lebe, dann nehme ich vielleicht dein Geld...«

ZURÜCK ZU DEN MÜNZEN

Irgend etwas hatte das Thema in mir ausgelöst. Ich hatte das Gefühl, daß bald etwas Grundlegendes passieren würde.

»Ein Erwachen«, diagnostizierte Jorge.

»Das Erwachen?« fragte ich.

»Nein, nicht *das* Erwachen, sondern *ein* Erwachen. Nach deiner Schilderung hab ich das Gefühl, du liegst im Bett und beobachtest durchs Fenster, wie der Tag anbricht. Du weißt, daß der Morgen kommt, und spürst, daß es nun an der Zeit ist. Aber trotzdem bleibst du noch ein bißchen liegen.«

»Ja. Genauso fühle ich mich.«

»Also, ruhig Blut. Jeder macht das mal durch.«

»Schön, daß ich nicht der einzige bin. Obwohl, geteiltes Leid...«

»Geteiltes Leid?«

»Kennst du nicht das Lied? Geteiltes Leid ist der Dummen Trost.«

»Komisch, wie kleinmütig die Menschen sind. Dieses Lied ist ein Volkslied, aber ursprünglich hieß es ganz anders: Geteiltes Leid ist der Leute Trost.«

»Bist du dir da sicher?«

»Ganz sicher. Nur vom hohen Roß aus kann man die anderen so verurteilen und für dumm erklären, die sich wohler fühlen, wenn sie im Schmerz nicht allein sind, sondern ihr Leid mit anderen teilen können.«

»Dann fühle ich mich schon viel weniger dumm. Du weißt gar nicht, wie erleichtert ich bin. Ich habe schon gedacht, ich sei ein Idiot, weil es genau auf mich zutrifft.«

»Nein, nicht deshalb bist du ein Idiot«, grinste der Dicke.

»Paß bloß auf, hörst du?«

»Ist ja schon gut. Du weißt hoffentlich, daß du kein Idiot für mich bist. Ich glaube auch nicht, daß der Begriff ›Verwirrung‹ auf dich zutrifft. Eher hab ich das Gefühl, du willst nicht recht wahrhaben, daß du in manchen Bereichen bereits größere Fortschritte gemacht hast als in anderen, und du merkst nicht, daß das ganz normal ist.

Man ist nicht in allen Bereichen immer auf dem gleichen Stand. Man kann in manchen Dingen sehr reif sein und in anderen noch ziemlich unterentwickelt. Ist doch logisch.

Deshalb habe ich das Bild *eines* Erwachens benutzt. In Wahrheit erwachen wir stets und ständig wieder.

Vielleicht gibt es Leute, die die einzelnen Erwachensmomente überspringen und gleich mit einem Mal die ganze Wahrheit sehen. Aber ich wüßte von niemandem, dem das so ergangen wäre ... Oder vielleicht doch. Höchstwahrscheinlich sind Jesus Christus, Buddha oder Mohammed mit einem Schlag erwacht.«

»Aber ich bin weder Jesus noch Buddha, noch ...«

»Und ich auch nicht, also hören wir besser auf, so zu tun als ob. Es ist auch nicht das Erwachen, das uns in den Kreis der neunundneunzig treibt, sondern es sind die Münzen.«

»Womit wir wieder beim Thema wären. An dem Tag, als du mich mit der Geschichte vom Kreis der neunundneunzig infiziert hast, hast du gesagt, daß es einen Unterschied zwischen akzeptieren und resignieren gibt. Und dann hast du gesagt, das wäre eine andere Geschichte. Erzählst du sie mir heute?«

»Warum nicht?«

ES WAREN EINMAL, am Rande eines kleinen Dorfes, zwei Häuser in direkter Nachbarschaft. In dem einen lebte ein vermögender, wohlhabender Bauer. Er war von zahlreichen Bediensteten umgeben und konnte sich alles leisten, was er nur wollte.

In dem anderen Haus, eher einer bescheidenen Hütte, lebte ein alter, sehr ärmlich gekleideter Mann, der die meiste Zeit damit verbrachte, sein Land zu bestellen und zu beten.

Der Alte und der Reiche begegneten sich täglich und tauschten bei jedem Treffen ein paar Worte aus. Der Reiche sprach von seinem Geld, der Alte von seinem Glauben.

»Der Glaube!« machte sich der Reiche über den Alten lustig. »Wenn dein Gott so mächtig ist, wie du sagst, warum bittest du ihn dann nicht darum, dir das Nötige zu schicken, um nicht mehr so darben zu müssen?«

»Du hast recht«, sagte der Alte und ging nach Hause.

Als sie sich am nächsten Tag trafen, stand dem Alten das Glück ins Gesicht geschrieben.

»Was ist mit dir, Alter?«

»Gar nichts. Ich bin nur deinem Rat gefolgt und habe Gott heute morgen darum gebeten, mir hundert Goldstücke zu schicken.«

»Ach ja?«

»Mhm. Ich habe ihm gesagt, daß ich, wo ich doch immer ein guter Mensch gewesen bin und seine Gebote befolgt habe, sicher eine Belohnung verdient hätte, und da wären doch die Goldstücke recht. Glaubst du, ich habe zuviel verlangt?«

»Was ich glaube, tut nichts zur Sache«, sagte der Reiche spöttisch. »Wichtig ist, daß es deinem lieben Gott nicht zuviel erscheint. Vielleicht glaubt er, daß du eine Belohnung von zwanzig, fünfzig, achtzig oder zweiundneunzig Goldstücken verdient hast. Wer weiß?«

»Nein, nein. Gott soll entscheiden, ob ich die Belohnung verdient habe oder nicht. Aber meine Bitte war eindeutig. Ich möchte hundert Goldstücke. Ich werde weder zwanzig noch dreißig oder zweiundneunzig Goldstücke akzeptierten. Ich habe ihn um hundert gebeten, und ich habe keinen Zweifel, daß, wenn sich mein guter Gott meiner Bitte annehmen kann, Er mir diesen Wunsch erfüllt. Er wird nicht mit mir feilschen, und ich werde nicht mit Ihm feilschen. Hundert ist die Bitte, und hundert wird Er mir gewähren. Ich werde mich nicht mit auch nur einer Münze weniger zufriedengeben.«

»Ha, ha, ha. Du verlangst ganz schön viel!« sagte der reiche Mann.

»Da Er viel von mir verlangt, verlange ich viel von Ihm«, sagte der Alte.

»Ich glaube nicht, daß du die zwanzig oder dreißig Münzen ablehnen kannst, falls Gott sie dir schickt, nur weil es nicht hundert sind.«

»Nun, ich werde jede Summe unter hundert ablehnen. Und auch wenn Gott denkt, daß ich zuwenig gefordert habe, und sich entscheidet, mir mehr zu schicken, werde ich das Überzählige nicht annehmen.«

»Ha, ha, ha. Du bist völlig übergeschnappt, und ich soll dir dieses Märchen von deinem Glauben und deiner Standhaftigkeit abnehmen? Da lachen ja die Hühner! Wir werden schon noch sehen, ob du so standhaft bleibst!«

Und jeder ging in sein Haus zurück.

Aus irgendeinem Grund machte der alte Mann den Reichen nervös. ›Was für ein Dickschädel! Wie kann einer behaupten, er würde jede Summe unter hundert Goldmünzen ablehnen. Ich werde ihm die Maske vom Gesicht reißen, und zwar gleich heute nachmittag.‹

Er bereitete einen Beutel mit neunundneunzig Goldstücken vor und ging damit zum Haus des Nachbarn. Der Alte kniete danieder und betete.

»Lieber Gott, hilf mir in meiner Not. Ich glaube, ich habe ein Anrecht auf diese Münzen. Wohlgemerkt: hundert Goldmünzen. Ich werde mich mit nichts anderem zufriedengeben, was Du mir schickst. Ich möchte genau hundert.«

Während der Alte betete, stieg der Reiche auf das Dach seiner Hütte und warf den Geldbeutel durch den Kaminschacht. Danach kletterte er rasch wieder hinunter, um nachzuschauen.

Der Alte kniete noch immer, als er etwas Metallisches durch den Schacht fallen hörte. Langsam richtete er sich auf, ging zum Kamin, nahm den Beutel an sich und klopfte Ruß und Asche ab.

Er trat an den Tisch und leerte den Beutelinhalt aus. Vor ihm lag ein Haufen Goldstücke. Der Alte warf sich auf die Knie und dankte dem lieben Gott für das Geschenk, das er ihm geschickt hatte.

Nach dem Beten zählte er das Geld. Neunundneunzig. Es waren neunundneunzig Goldstücke.

Der Reiche wartete freudig darauf, seine Theorie bestätigt zu sehen. Der Alte hob seine Stimme zum Himmel und sagte: »Mein Gott, ich sehe, daß Du beschlossen hast, dem Wunsch dieses armen alten Mannes zu entsprechen, aber ich sehe auch, daß es offenbar im ganzen weiten Himmelszelt nicht mehr als neunundneunzig Münzen gegeben hat. Du wolltest mich wegen der einen Münze nicht länger warten lassen. Dennoch, wie ich Dir schon gesagt habe, werde ich nicht eine Münze mehr als hundert akzeptieren, aber auch nicht eine Münze weniger.«

»So ein Esel«, dachte der Reiche.

»Andererseits«, fuhr der Alte fort, »habe ich vollstes Vertrauen in Dich. Deshalb werde ich es ausnahmsweise ganz Dir überlassen, wann Du mir die Münze schickst, die Du mir noch schuldest.«

»Betrug!« schrie der Reiche. »So ein Heuchler!«

Und brüllend schlug er auf die Haustür des Alten ein.

»Du bist ein Heuchler!« schrie er weiter. »Du hast gesagt, du wirst nicht annehmen, wenn es eine Münze weniger als hundert sind, und jetzt streichst du die neunundneunzig Münzen einfach ein. Du und dein Gottesglaube, ihr seid so was von verlogen.«

»Woher weißt du das mit den neunundneunzig Münzen?« fragte der Alte.

»Ich weiß es, weil ich es war, der sie dir geschickt hat, um zu beweisen, daß du ein Gauner bist. ›Ich werde keine Münze weniger als hundert akzeptieren‹, daß ich nicht lache!«

»Und, in der Tat, ich werde sie nicht akzeptieren. Gott wird mir die fehlende Münze schicken, wann immer es Ihm beliebt.«

»Gar nichts wird Er dir schicken, denn der, der dir dieses Geld geschickt hat, war ich.«

»Ich will gar nicht bestreiten, daß du das Werkzeug bist, durch das mir Gott meinen Wunsch erfüllt. Tatsache ist, daß dieses Geld durch meinen Kamin gefallen ist, während ich darum gebetet habe, also gehört es mir.«

Dem Reichen verging das Lachen, und er wurde barsch.

»Von wegen, es gehört dir. Dieser Beutel und diese Münzen sind meine. Ich habe sie gebracht.«

»Die Wege des Herrn sind unergründlich«, sagte der Alte.

»Verflucht seist du, und verflucht sei auch dein Gott.

Gib mir mein Geld zurück, oder ich werde dich vor Gericht bringen, und da wirst du auch noch das bißchen verlieren, das du hast.«

»Mein einziger Richter ist Gott. Aber wenn du den Dorfrichter meinst, ich habe nichts dagegen, wenn wir den Fall in seine Hände legen.«

»Gut. Also, gehen wir.«

»Du wirst ein Weilchen warten müssen, bis ich einen Wagen gekauft habe. Ich habe keinen, und in meinem Alter kann ich es mir nicht mehr erlauben, bis ins Dorf zu spazieren.«

»Da brauchen wir gar nicht zu warten. Ich geb dir meinen Wagen.«

»Ich bin dir wirklich sehr dankbar. In all den Jahren hast du mir nicht einmal geholfen. Nun denn. Ein bißchen müssen wir noch warten, bis der Winter vorbei ist. Es ist kalt, und meine Gesundheit erlaubt es mir nicht, ohne einen warmen Mantel bis ins Dorf zu gehen.«

»Du willst die Sache hinauszögern«, sagte der Reiche wütend. »Ich werde dir meinen Pelzmantel geben, damit du reisen kannst. Hast du noch eine andere Ausrede?«

»Dann steht der Sache nichts mehr im Wege«, sagte der Alte.

Er zog den Mantel an, bestieg den Wagen und fuhr ins Dorf. Der Reiche folgte ihm in einem anderen Wagen.

Im Dorf beeilte sich der Reiche, um einen Termin beim Richter zu ersuchen. Als der sie empfing, erzählte er ihm bis ins kleinste von seiner Absicht, den Glauben des Alten in Frage zu stellen, davon, wie er ihm das Geld durch den Kaminschacht geworfen hatte und wie der Alte sich danach geweigert hatte, es ihm wieder zurückzugeben.

»Was hast du dazu zu sagen?« fragte der Richter den Alten.

»Hohes Gericht, es kommt mir sehr komisch vor, jetzt hier mit meinem Nachbarn über dieses Thema zu streiten. Er ist der reichste Mann im Dorf. Und noch nie hat er sich als großzügig erwiesen, noch nie hat ihn das Wohl der anderen interessiert, ich glaube nicht, daß ich etwas zu meiner Verteidigung sagen muß. Wer soll denn glauben, daß ein so geiziger Kerl fast hundert Goldstücke in einen Beutel steckt und sie durch den Schornstein seines Nachbarn wirft? Ich denke, es liegt auf der Hand, daß der gute Mann mich ausspioniert und sich das Ganze ausgedacht hat, als er mein Geld sah.«

»Ausgedacht? Fahr zur Hölle, Alter!« schrie der Reiche. »Du weißt genau, daß ich die Wahrheit sage. Nicht einmal du glaubst dieses Ammenmärchen, daß dir Gott das Geld geschickt hat. Gib mir den Beutel zurück.«

»Hohes Gericht, offenbar ist der Mann etwas verstört.«

»Ja, natürlich stört es mich, daß man mich beraubt. Ich fordere dich auf, mir diesen Beutel zurückzugeben.«

Der Richter war erstaunt. Die Argumente der beiden zwangen ihn dazu, eine Entscheidung zu treffen, aber welche war die richtige?

»Gib mir mein Geld zurück, du alter Betrüger«, sagte der Reiche. »Dieses Geld gehört mir, hörst du, niemand anderem als mir.«

Völlig außer sich sprang der Reiche über das Holzgeländer, das die beiden trennte, und versuchte dem Alten den Beutel zu entreißen.

»Ruhe!« rief der Richter. »Ruhe bitte.«

»Sehen Sie, Herr Richter. Die Habsucht treibt ihn noch in den Wahnsinn. Es würde mich nicht wundern, wenn er als nächstes behaupten würde, daß der Wagen, in dem ich gekommen bin, auch seiner ist.«

»Natürlich ist das meiner«, sagte der Reiche sofort. »Und ich hab ihn dir geliehen.«

»Sehen Sie, hohes Gericht? Jetzt muß er nur noch sagen, daß er auch der Besitzer meines Mantels ist.«

»Aber sicher ist das meiner!« sagte der Reiche, der schon völlig die Fassung verloren hatte. »Das ist meiner, alles gehört mir: der Beutel, das Geld, der Wagen, der Mantel... Alles meins! Alles!«

»Halt!« sagte der Richter, dessen Zweifel inzwischen verflogen waren. »Schämst du dich nicht, dem alten Mann auch noch seine paar Habseligkeiten zu nehmen?«

»Aber... aber...«

»Kein aber. Du bist habgierig und nur auf deinen Vorteil bedacht«, fuhr der Richter fort. »Weil du versucht hast, diesen armen Alten zu betrügen, verurteile ich dich zu einer Woche Gefängnis und zu einer Zahlung von fünfhundert Goldstücken zur Wiedergutmachung an deinen Nachbarn.«

»Verzeihung, hohes Gericht«, sagte der Alte. »Darf ich etwas sagen?«

»Ja, Alterchen.«

»Ich glaube, der Mann hat seine Lektion gelernt. Ich bitte darum, ihn – obwohl er mein Gegner ist – seiner Strafe zu entheben und ihn nur zur Zahlung eines symbolischen Betrags zu verpflichten.«

»Du bist sehr großzügig, alter Mann. Was schlägst du vor? Hundert Münzen? Fünfzig?«

»Nein, Herr Richter. Ich glaube, daß die Zahlung von einer Goldmünze Strafe genug für ihn wäre.«

Der Richter klopfte mit seinem Hammer auf den Tisch und verkündete: »Dank der Großzügigkeit dieses Mannes und entgegen der Auffassung des Gerichtes wird dem Kläger die symbolische Zahlung des Betrags von einer Goldmünze zur Strafe auferlegt, unverzüglich zu entrichten.«

»Einspruch«, sagte der Reiche. »Ich lege Berufung ein.«

»Es sei denn, der Verurteilte weigert sich, den großzügigen Vorschlag dieses guten Mannes anzunehmen, und zieht es vor, die weniger milde Strafe des Gerichtes anzutreten.«

Resigniert holte der reiche Mann ein Goldstück aus der Tasche und händigte es dem Alten aus.

»Die Verhandlung ist geschlossen«, sagte der Richter.

Der Reiche stürmte aus dem Saal, bestieg seinen Wagen und verließ das Dorf. Der Richter verabschiedete sich vom alten Mann und zog sich zurück. Der Alte wandte seine Augen gen Himmel.

»Danke, lieber Gott. Nun bist Du mir nichts mehr schuldig.«

»Vielleicht hast du jetzt alle Teile beisammen, die du für dein Erwachen zum Thema Akzeptieren und Kämpfen brauchst, Demian.«

Wie der Dicke sagte:

Resignieren ist eine Sache, akzeptieren die andere.

DIE UHR, DIE AUF SIEBEN UHR STEHENBLIEB

Ich durchlebte gerade eine Glanzperiode!

Ich spürte, wie ich innerlich wuchs. Ich häufte nicht nur Kenntnisse an, sondern fühlte – ohne falsche Bescheidenheit –, wie ich insgesamt weiser, wie meine Gedanken konzentrierter und klarer wurden.

Alles war phantastisch, und wenn es Dinge gab, die vielleicht nicht so waren, wie ich sie gerne gehabt hätte, begegnete ich ihnen mit ruhiger Gelassenheit und spürte, daß ich den Schwierigkeiten angstfrei gegenübertreten konnte.

»Das ist eine tolle Sache, Dicker. Und dir geht es ständig so?«

»Beantworte dir die Frage selbst.«

»Also, wenn das Teil des Erwachens ist, müßte es für dich, der du auf jeden Fall mehr Erweckungserlebnisse in deinem Leben hattest als ich, eigentlich ein Dauerzustand sein.«

»Nein«, antwortete Jorge. »Es ist kein Dauerzustand.«

»Jetzt, wo ich weiß, daß das Lied *Geteiltes Leid, der Leute Trost* heißt, frage ich dich: Kennen die anderen auch solche dunklen und hellen Momente?«

»Ich glaube schon... Vielleicht hab ich deshalb schon

seit geraumer Zeit die Geschichte von Papini im Kopf. Sie heißt *Die Uhr, die auf sieben Uhr stehenblieb.*«

»Erzählst du sie mir?«

»Ja, obwohl es schon fast ein Frevel ist, eine so wundervoll geschriebene Geschichte zu erzählen, drei Viertel ihrer Schönheit gehen dabei verloren. Aber was soll's... Diese Geschichte von Papini ist der Monolog eines Menschen, der einsam in seinem Zimmer sitzt und schreibt.«

AN EINER DER Wände in meinem Zimmer hängt eine schöne alte Uhr, die leider nicht mehr geht. Ihre Zeiger sind schon vor ewigen Zeiten stehengeblieben und zeigen ununterbrochen dieselbe Uhrzeit an: Punkt sieben Uhr.

Die meiste Zeit ist diese Uhr nur ein nutzloser Schmuck an einer leeren weißen Wand. Trotzdem gibt es zwei Momente am Tag, zwei flüchtige Augenblicke, in denen die alte Uhr aufzuerstehen scheint wie Phönix aus der Asche.

Wenn alle Uhren der Stadt in ihrer einwandfreien Gangart sieben Uhr anzeigen und ihre Kuckucks und Läutwerke sieben Mal ihren Klang vernehmen lassen, scheint die Uhr in meinem Zimmer langsam zum Leben zu erwachen. Zweimal am Tag, morgens und abends, fühlt sie sich in komplettem Einklang mit dem Rest des Universums.

Jemand, der die Uhr in genau diesen Momenten ansieht, müßte denken, daß sie perfekt funktioniert... Aber sobald dieser Moment vorbei ist, wenn die übrigen Uhren ihren Klang einstellen und die Zeiger weiter ihren monotonen Gang gehen, verliert meine Uhr ihren Schritt und verharrt treu dort, wo sie einst stehengeblieben war.

Ich mag diese Uhr. Und je mehr ich von ihr rede, desto lieber wird sie mir, weil mir immer deutlicher wird, wie sehr ich ihr ähnele.

Auch ich bin irgendwann einmal stehengeblieben. Auch ich fühle mich starr und unbeweglich. Auch ich bin irgendwie bloß nutzloser Schmuck an einer leeren Wand.

Aber ich genieße auch diese flüchtigen Momente, in denen auf mysteriöse Art meine Stunde gekommen ist.

Dann fühle ich mich sehr lebendig. Alles scheint mir klar und die Welt ein wunderbarer Ort. Ich kann schöpferisch sein, träumen, fliegen und mehr fühlen und sagen als in der ganzen übrigen Zeit. Solche Momente glücklicher Übereinstimmung gibt es immer wieder, in unbeirrbarer Folge.

Beim ersten Mal habe ich versucht, diesen Augenblick anzuhalten, damit er für immer bleibe. Aber es war vergeblich. Wie meinem Freund, der Uhr, entschwand auch mir die Zeit der anderen.

Waren diese Momente vorbei, gingen die anderen Uhren in den anderen Menschen weiter ihren Gang, und ich kehrte zu meiner todesstarren Routine zurück. Zu meiner Arbeit, meinen Kaffeehausgesprächen, ich ging weiter meinen langweiligen Trott, den ich gewohnheitsmäßig Leben nannte.

Aber ich weiß, daß Leben etwas anderes ist.

Ich weiß, daß das wahre Leben die Summe solcher

flüchtigen Momente ist, in denen wir uns im Einklang mit der Welt fühlen.

Fast jeder bedauernswerte Mensch glaubt, daß er lebt.

Es gibt bloß einzelne Momente der Fülle, und diejenigen, die das nicht wissen und daran festhalten, immer leben zu wollen, werden an die graue und immergleiche Alltagswelt festgekettet bleiben.

Deshalb mag ich dich, alte Wanduhr. Weil wir gleich sind, du und ich.

»Dies, lieber Demian, ist die armselige Variante eines literarischen Kleinods von Papini, das ich dich bitte, einmal nachzulesen. Ich habe sie heute erzählt, um dir eine geniale Metapher dafür zu zeigen, daß wir wahrscheinlich alle nur in einigen wenigen kurzen Momenten in Harmonie leben. Vielleicht stimmen gerade jetzt, in diesem Augenblick, die Stunde des wahren Lebens und deine eigene genau überein. Wenn dem so ist, genieße es, Demian. Wahrscheinlich geht es viel zu schnell vorbei.«

Einige Zeit später las ich die Originalgeschichte von Papini, *Die Uhr, die auf sieben Uhr stehenblieb.* Der Dicke hatte recht, es war ein Kleinod. Und obwohl ich das Buch inzwischen besitze, kann ich die Geschichte von Jorge nicht vergessen, die mir damals – wenn auch viel nüchterner und ohne all die schönen Metaphern – so hilfreich war wie das Original Jahre später ein Genuß.

LINSEN

Wieder hatte mein Therapeut sich nicht getäuscht. Der glanzvolle und absolut harmonische Augenblick ging vorbei, und mein unerbittliches Hinterfragen der Wahrheit, meiner selbst und der anderen begann von vorn. Eine offenbar triviale Angelegenheit hatte mich vollkommen blockiert: Zum dritten Mal in einem Jahr hatte ein Arbeitskollege eine größere Gehaltserhöhung bekommen als ich. Ich glaubte, ich könne mich bei der Arbeit ziemlich genau einschätzen, und wußte, daß ich sie gut machte. Mehr noch, ich war sicher, daß ich wesentlich fähiger und produktiver war als meine Kollegen.

»Eduardo ist ein Schleimer.«

»Ein was?«

»Ein Schleimscheißer.«

»Seltsam, wenn man ein Verhalten nur mit einem Schimpfwort benennen kann.«

»Er rennt immer hinter dem Chef her und führt vor, was er alles getan, gemacht und erreicht hat, und was er nicht hat lösen können, das läßt er unter den Tisch fallen. Der Chef ist ja nicht doof, der merkt das doch, sicher merkt er das. Aber wenn Eduardo sich gerade nicht seiner Wohltaten rühmt, schmeichelt er sich bei ihm ein.«

»Und der Chef scheint dafür empfänglich zu sein.«

»Natürlich, aber klar, wenn es um die Auszeichnungen geht, bekommt der Schleimer seine Prämie.«

»Hast du schon mal mit deinem Chef darüber gesprochen?«

»Ja, er sagt, ich würde ihn immer in Frage stellen, ich hätte einen schlechten Charakter, und das würde bei meiner Bewertung negativ zu Buche schlagen.«

»So, wie du es darstellst, hättest du also, wenn du genauso windschnittig wärst wie Eduardo, auch eine bessere Bewertung, schnellere Beförderungen und mehr Gehalt.«

»Wahrscheinlich.«

»Dann ist ja alles klar. Du kennst das Ziel, weißt, was der Weg ist, und hast die Fähigkeit, es umzusetzen. Was willst du mehr? Der Rest liegt an dir.«

»Ich weigere mich.«

»Wem verweigerst du dich?«

»Ich weigere mich, für ein bißchen Geld zu allem ja und amen sagen zu müssen.«

»Gut so, Demian. Aber glaub nicht, daß sich das Problem allein auf die Arbeitswelt beschränkt.«

»Ich wüßte zwar nicht, wo mir das sonst passieren sollte. Aber bei dir habe ich gelernt, daß nichts jemals nur an einem Ort anzutreffen ist, deshalb bin ich nicht sicher, ob es sich nur auf die Arbeit beschränkt. Ich weiß es nicht.«

»Hattest du nicht dasselbe Gefühl, als Ricardo nicht dich, sondern Juan Carlos gefragt hat, ob er mit ihm das Referat an der Uni hält?«

»Doch.«

»Und als du mir vor ein paar Monaten erzählt hast, daß sich deine Freundin Laura von dir losgesagt hat, weil sie lieber mit Leuten zusammen ist, die ihr nicht ständig Sachen sagen, die sie nicht hören will. War das nicht das gleiche?«

»Doch! Das ist das gleiche. Offenbar muß man sich dazu zwingen, jemand zu sein, der man nicht ist, wenn man nicht allein bleiben will.«

»In der ersten Person, bitte.«

»Wenn ich nicht allein bleiben will, muß ich schleimen, muß ich klein beigeben, muß ich zahm und mild sein, muß ich die Schnauze halten oder sie nur aufmachen, um zu sagen, daß...«

»Sicher ist das auch ein Weg. Der andere ist der des Diogenes.«

»Und welches ist der Weg des Diogenes?«

»Der Weg des Diogenes.«

EINES TAGES SASS Diogenes auf der Schwelle irgend-eines Hauses und aß einen Teller Linsen.

In ganz Athen gab es kein billigeres Essen als dieses Linsengericht.

Anders gesagt, einen Teller Linsen zu essen bedeutete, daß man sich in einer äußerst prekären Situation befand.

Ein Minister des Kaisers sagte zu ihm: »Wie bedauer-lich für dich, Diogenes! Wenn du lernen würdest, etwas unterwürfiger zu sein und dem Kaiser ein bißchen mehr zu schmeicheln, müßtest du nicht so viele Linsen essen.«

Diogenes hörte auf zu essen, hob den Blick, sah den wohlhabenden Gesprächspartner fest an und antwortete: »Bedauerlich für dich, Bruder. Wenn du lernen würdest, ein paar Linsen zu essen, müßtest du nicht so unterwürfig sein und dem Kaiser ständig schmeicheln.«

»Das ist der Weg des Diogenes. Das ist der Weg des Selbstrespekts, der Verteidigung der eigenen Würde, über die eigenen Bedürfnisse der Selbstbestätigung hinaus.

Wir alle brauchen die Bestätigung von anderen. Aber wenn das nur um den Preis der Selbstaufgabe geht, ist das nicht nur ein zu hoher Preis, sondern es wird auch zu einer paradoxen Unternehmung. Wir beginnen, dem Menschen zu ähneln, der im ganzen Dorf nach seinem Maultier sucht, während er doch draufsitzt.«

DER KÖNIG, DER ANGEBETET
WERDEN WOLLTE

Ich hab mal drüber nachgedacht, und da ist mir aufgefallen, daß ich für viele Dinge einen ziemlich hohen
Preis bezahle. Und damit geht es mir nicht besonders gut.

Ich hab das Gefühl, ich drehe mich in einem Laufrad
und komme da nicht mehr raus. Nur wie kann man vorher
abklären, ob der Preis für eine Sache zu hoch ist, zu nied-
rig oder gerade richtig? Bei materiellen Dingen ist es einfach, da ist der Preis mehr oder weniger festgelegt. Aber
was ist das Maß bei den anderen Dingen?«

»Ich glaube, zuerst muß man herausfinden, was teuer
heißt. Was es bedeutet, etwas teuer zu bezahlen.«

»Teuer bezahlen heißt viel bezahlen.«

»Sieh es mal vom materiellen Gesichtspunkt aus. Sind
hunderttausend Dollar viel?«

»Ja, natürlich.«

»Dann wäre also ein Jumbo-Jet, der für hunderttausend
Dollar verkauft würde, teuer?«

»Kommt drauf an, für wen. Für mich ganz bestimmt.«

»Warum?«

»Weil ich keine hunderttausend Dollar habe und sie
auch nirgendwoher bekommen könnte.«

»Nein, Demian. Da verwechselst du teuer mit hochpreisig. Ein Jumbo-Jet für hunderttausend Dollar ist billig, ob du das Geld nun hast oder nicht.«

»Worauf kommt es also an?«

»Ob etwas teuer oder billig ist, entscheidet der Vergleich zwischen dem Preis und dem Wert. Nicht zwischen dem, was es kostet, und dem, was du hast. Was mehr kostet, als es wert ist, ist teuer, Demian.«

»Was mehr kostet, als es wert ist... Klar, deshalb glaub ich von so vielen Dingen, ich würde sie zu teuer bezahlen. Das leuchtet mir ein.«

»Der Wert für immaterielle Dinge«, fuhr Jorge fort, »und manchmal auch der für materielle, ist derart subjektiv, daß man immer nur selbst beurteilen kann, ob ein Preis angemessen ist oder nicht. Aber wir alle besitzen auch kostbare Güter, die wir ganz und gar nicht einzuschätzen wissen. Die Würde zum Beispiel. Ich halte die eigene Würde, den Selbstrespekt für so wertvoll, daß damit zu zahlen immer ein zu hoher Preis ist.«

Es war einmal ein König, den hatte die Eitelkeit fast in den Wahnsinn getrieben. Eitelkeit macht die Menschen immer verrückt.

Dieser König ließ in seinem Palastgarten einen Tempel bauen und in dem Tempel eine Statue von sich selbst im Lotussitz aufstellen.

Jeden Morgen, gleich nach dem Frühstück, ging der König in seinen Tempel, warf sich vor seinem Abbild nieder und betete sich selbst an.

Eines Tages befand er, daß eine Religion, die nur einen einzigen Anhänger besaß, keine rechte Religion sei, und entschied, er müsse mehr Anbeter haben.

Also erließ er das Dekret, daß sämtliche Soldaten der königlichen Leibwache sich zumindest einmal täglich vor seiner Statue niederwerfen sollten. Dasselbe galt für alle Bediensteten wie auch für die Minister des Königreiches.

Sein Wahnsinn nahm mit der Zeit immer üblere Ausmaße an, und als die Unterwerfung seiner Untergebenen ihm eines Tages nicht mehr genügte, schickte er die Leibwache zum Markt und befahl ihr, die ersten drei Personen mitzubringen, die ihr begegneten.

›An ihrem Beispiel‹, so dachte er, ›werde ich beweisen, wie stark der Glaube an mich ist. Ich fordere sie auf, sich vor meinem Abbild zu verneigen. Wenn sie klug genug sind, so tun sie es, und wenn nicht, werden sie mit dem Leben dafür bezahlen.‹

Die Soldaten der Leibwache brachten einen Intellektuellen, einen Pfarrer und einen Bettler mit, die in der Tat die drei ersten Personen waren, denen sie auf dem Markt begegneten.

Die drei wurden zum Tempel geführt und dem König vorgestellt.

»Dies ist das Bildnis des einzig wahren Gottes«, sagte der König zu ihnen. »Werft euch vor ihm nieder, oder ihr zahlt es mit dem Leben.«

Der Intellektuelle dachte: ›Der König ist verrückt und wird mich töten, wenn ich mich nicht verneige. Das ist höhere Gewalt. Niemand kann mich dafür verurteilen angesichts der Tatsache, daß ich es ohne Überzeugung getan habe, allein, um mein Leben zu retten, und im Dienste der Gesellschaft, der ich mich verpflichtet sehe.‹ Und er verneigte sich vor dem Abbild.

Der Priester dachte: ›Der König ist verrückt geworden, und er wird seine Drohung wahr machen. Ich bin ein Auserwählter des wahren Gottes, und deshalb wird mein spirituelles Handeln den Ort segnen, an dem ich bin. Egal, vor welchem Bild ich es tue, wird es immer der wahre Gott sein, vor dem ich mich verneige.‹

Und er kniete nieder.

Nun war der Bettler an der Reihe, der keinerlei Anstalten dazu machte.

»Knie nieder«, sagte der König.

»Majestät, ich bin dem Volk nichts schuldig, das mich offen gestanden meist mit Fußtritten von seinen Türschwellen jagt. Auch bin ich von niemandem auserwählt, außer von den paar Läusen, die auf meinem Kopf überwintern. Ich mag niemanden verurteilen, noch kann ich irgendein Abbild segnen. Und was mein Leben angeht, so halte ich es nicht für ein derart kostbares Gut, als daß es das wert wäre, sich dafür lächerlich zu machen, nur um es behalten zu dürfen. Deshalb, teurer Herr, gibt es für mich keinen Grund, niederzuknien.«

Man sagt, die Antwort des Bettlers habe den König derart bewegt, daß ihm ein Licht aufging und er begann, sein Verhalten zu überdenken.

Nur dadurch, so sagt es die Legende, wurde der König geheilt und ließ den Tempel durch einen Springbrunnen ersetzen und die Statue durch riesige Blumenvasen.

DIE ZEHN GEBOTE

Dem König aus diesem Märchen hatten die Worte des Bettlers die Augen geöffnet. Ihm blieb nichts anderes übrig, als sein Leben zu überdenken, ich aber fühlte mich nach der letzten Sitzung wie »eingefroren«.

Wieder einmal spürte ich, wie sich ein Vorhang beiseite schob und die Sicht auf eine Unmenge von Situationen freigab, auf Ereignisse, Gedanken und Standpunkte, die mir in wirrem Durcheinander durch den Kopf purzelten.

Ich spürte, wie meine ganze Lebensgeschichte ihre Bedeutung verändert hatte, seitdem ich den Sinn der Wörter »teuer« und »billig« erkannt hatte.

Wie viele Dinge hatte ich viel zu teuer bezahlt, mein ganzes Leben lang! Und wieviel hatte ich erreicht, ohne mir klarzumachen, wie günstig! Geiz und Verschwendungslust waren die zwei extremen Seiten des gleichen Irrtums!

Der Erbärmliche und der Begnadete waren zwei Persönlichkeitszüge, die zusammengeschweißt mir innewohnten und versuchten, sich voneinander abzusetzen, ja, die sogar im Wettstreit miteinander lagen, wer von ihnen hervortreten dürfe und die Oberhand gewinne. Das Spiel der Polaritäten, von dem Jorge immer erzählte!

Was für eine verrückte Idee, daß alles auf der Welt paarweise auftritt. Jedes Ding mit seinem Gegenstück.

»Jeder Doktor Jekyll hat seinen Mister Hyde.«

»Muß das so sein?« fragte ich Jorge.

»Ja, Demian, immer. Weil die Welt, in der wir leben, ein riesiges Yin und Yang ist: zwei untrennbare Teile, die als einziges Ganzes fungieren. Zwei Hälften, die man nur theoretisch voneinander unterscheiden kann, die aber jede für sich allein genommen nicht existieren kann. Ich zeig's dir...«

Der Dicke stand auf und ging zum Kleiderschrank. Er öffnete die Tür, wühlte in seinem Durcheinander herum und holte eine Taschenlampe hervor. Er schlug drei oder vier Mal mit der Hand drauf, bis sie funktionierte. Dann stellte er die Raumbeleuchtung ab und richtete die Taschenlampe auf die heruntergezogenen Rolläden.

»Siehst du den Lichtstrahl?« fragte er mich.

»Ja, natürlich.«

»Warum?«

»Weil die Taschenlampe brennt«, antwortete ich, ohne auch nur zu ahnen, worauf er hinauswollte.

»So, dann zieh mal den Rolladen hoch.«

Das tat ich.

»Und jetzt?« fragte er und richtete die Lampe auf das Fenster, durch das die pralle Mittagssonne fiel.

»Wie, und jetzt?« fragte ich.

»Ist die Lampe jetzt an oder nicht?«

»Ich weiß es nicht.«

»Wie? Siehst du das Licht nicht?«

»Nein, jetzt sehe ich es nicht.«

»Weißt du auch warum?«

»Na, weil die Sonne...«, versuchte ich zu erklären.

»Du kannst es nicht sehen, weil man, um Licht zu sehen, die Dunkelheit braucht. Verstehst du? Die Dinge existieren nur durch ihr Gegenteil. Und so ist es mit dem Licht und dem Dunkel, dem Tag und der Nacht, dem Männlichen und dem Weiblichen, der Kraft und der Schwäche...«

Der Dicke schaltete die Lampe aus, warf sie in den Schrank zurück, setzte sich und sprach ganz begeistert weiter.

»So ist das in der Außenwelt, aber natürlich ist es auch in der Innenwelt so. Wie könnten wir unsere stärksten Seiten erkennen, wenn wir nicht auch Schwächen hätten? Wie könnten wir lernen, wenn wir nicht dumm wären? Wie könnten wir Mann oder Frau sein, wenn es nicht Frauen und Männer gäbe? Wie können wir glauben, wir wären zu hundert Prozent als Junge oder Mädchen geboren, wo doch in jeder einzelnen Körperzelle fünfzig Prozent Informationen für das eigene Geschlecht stecken und fünfzig Prozent für das andere?

Alle unsere Fähigkeiten und Beschränkungen, Tugenden und Defekte sind jeweils gepaart mit ihrem Gegenteil in uns vorhanden. Ich will sagen, daß niemand nur einfach gut ist, niemand nur intelligent oder nur mutig. Unsere Güte, Intelligenz und unser Mut gehen immer einher mit unserer Bosheit, unserer Dummheit und unserer Feigheit.

Es ist ja eine Binsenweisheit, daß, wer seine Überlegenheitsgefühle ausspielen muß, sich in Wahrheit unterlegen fühlt. Aber sie trifft zu.

Das gleiche gilt für all die anderen Charaktereigen-schaften: Setzt sich eine Eigenschaft über die anderen hin-weg, so ist das nicht immer das Zeichen dafür, daß sie auch in uns dominiert, sondern oftmals nur der Ausdruck einer großen Anstrengung, den anderen Pol zu kaschieren, ihn zu umgehen, um ihm zu widerstehen, ihn zu unterdrük-ken.«

»Aber wenn das stimmt, was du sagst, versteckt sich hinter jedem guten Menschen immer ein unterdrückter Schweinepriester«, unterbrach ich ihn empört.

»Ich möchte nicht behaupten, daß es immer so wäre. Ich sage nur, daß es manchmal so ist... Und daß dieser gute Mensch irgendwas mit dieser schlechten Person an-stellen mußte, die ihr ebenfalls innewohnt. Und daß das, was er mit ihr angestellt hat, nicht umsonst war, sondern ihn einiges gekostet hat. Vielleicht will ich dir nur sagen, wie wichtig es ist, zu wissen, mit welchen Dingen man hinterm Berg hält und warum man das tut.«

»Genug davon, jetzt reicht's«, beklagte ich mich.

»Bevor du einen Anfall bekommst, werde ich dir eine Geschichte erzählen.«

VOR DEM HIMMELSTOR hatten sich ein paar hundert Seelen der Männer und Frauen versammelt, die an die-sem Tag verstorben waren.

Der heilige Petrus regelte am Eingang zum Paradies den Verkehr.

»Auf Anweisung des Chefs teilen wir die Gäste gemäß Befolgung der Zehn Gebote in drei große Gruppen ein.

Die erste Gruppe ist für alle, die jedes Gebot mindestens einmal mißachtet haben.

Die zweite Gruppe ist für die bestimmt, die zumindest eins der Gebote übertreten haben.

Und in der letzten Gruppe, von der wir annehmen, daß es die größte sein wird, sollen all diejenigen sich einfinden, die ihr ganzes Leben lang nie auch nur eins der Zehn Gebote verletzt haben.

Fangen wir also an«, fuhr Petrus fort. »Diejenigen, die alle Zehn Gebote übertreten haben, gehen bitte nach rechts.«

Mehr als die Hälfte der Seelen bewegte sich auf die rechte Seite.

»Von den Verbleibenden«, rief er aus, »treten all die, die eins der Gebote verletzt haben, einen Schritt nach links.«

All die verbliebenen Seelen bewegten sich nach links. Fast alle...

Alle bis auf eine.

In der Mitte blieb eine Seele zurück, die ein guter Mensch gewesen war. Nicht ein einziges Mal in ihrem ganzen Leben hatte sie etwas anderes getan als recht gedacht, recht gehandelt und recht gefühlt.

Der heilige Petrus war überrascht. Sofort unterrichtete er Gott darüber.

»Hör mal, die Sache ist die: Wenn wir bei unserer

Ursprungsidee bleiben, wird dieser arme Mensch, der da jetzt noch in der Mitte steht, nicht für seine Frömmigkeit belohnt werden, sondern sich vor lauter Einsamkeit zu Tode langweilen. Ich glaube, das sollten wir verhindern.«

Gott erhob sich vor der Gruppe und sagte: »Diejenigen unter euch, die bereuen, denen wird vergeben werden, und ihre Verfehlungen seien vergessen. Die Reumütigen können sich wieder zu den reinen und unbefleckten Seelen in der Mitte gesellen.«

Nach und nach begannen alle, sich in Richtung Mitte zu bewegen.

»Halt! Das ist gemein! Verrat!« rief eine Stimme. Es war die Stimme desjenigen, der nicht gesündigt hatte. »Das gilt nicht! Das ist unfair. Wenn ich gewußt hätte, daß mir verziehen wird, hätte ich mein Leben nicht so vergeudet.«

DIE KATZE DES ASCHRAMS

Was wäre, wenn ich dir sagen würde, daß ich Urlaub nehmen will, Dicker?«

»Wie, was soll damit sein?«

»Na, was wäre mit uns, mit der Therapie?«

»Ich verstehe nicht, Demian...«

»Die Frage ist: Kann ich selbst entscheiden, ob ich eine Auszeit von der Therapie nehmen will?«

»Ich weiß zwar nicht, was du meinst, werde aber trotzdem versuchen, dir eine logische Antwort zu geben. Wenn du mich also fragst, ob du in der Verfassung bist, deine Therapie für eine gewisse Zeit zu unterbrechen, antworte ich dir, daß das selbstverständlich jederzeit möglich ist. Ich bin sogar fest davon überzeugt, daß du in der Lage bist, deinen Weg ganz allein zu gehen, wann immer du willst.«

Das Lächeln, mit dem mir der Dicke das sagte, war das einzig Beruhigende an diesem Gespräch. Ich war gekommen, um um Erlaubnis zu bitten, und traf auf einen Jorge, der mich darüber hinaus noch ermutigte zu gehen.

»Sag mal, Dicker, ist das ein Rauswurf?« fragte ich, um ganz sicher zu gehen.

»Spinnst du, Demian, oder was? Du kommst an und

fragst mich, ob du eine Auszeit nehmen kannst, und wenn ich ja sage, fragst du mich, ob ich dich rausschmeißen will... Was für eine Antwort hast du denn erwartet?«

»Ehrlich gesagt, Jorge: Ich bin dermaßen an die abschlägigen Antworten der anderen Psychologen gewöhnt, daß mich soviel Gelassenheit überrascht hat...«

»Willst du mir erzählen, mit welchen Phantasievorstellungen du hergekommen bist?«

»Die harmloseste ist noch die, und so haben es ziemlich all meine Bekannten erlebt, daß der Therapeut das Thema Wegbleiben sofort als Therapieverweigerung interpretiert.«

»Aber du kannst doch von mir keine Interpretationen erwarten.«

»Vom Verstand her nicht, aber es wäre doch möglich gewesen. Eine andere Möglichkeit wäre, daß du mich anschreist, sauer auf mich wirst und mich rausschmeißt.«

»Ich verstehe: und dir somit bestätige, wie wichtig du für mich bist, wie sehr mich dein Weggang schmerzt und daß ich den Gedanken, dich zu verlieren, nicht ertragen könnte.«

Ich fühlte mich entlarvt.

»Gut, ich bin ganz offen«, fuhr der Dicke fort. »Es liegt mir sogar daran, daß du gehst, weil ich dich sehr mag. Es tut mir nicht weh, weil ich glaube, daß es deine Entscheidung ist, und es tut mir leid, dir das sagen zu müssen, aber ich werde darüber hinwegkommen. Und, um das klarzustellen, weder bin ich sauer, noch ist dies ein Rausschmiß.«

»Und die letzte Möglichkeit...«, ich konnte den Satz nicht zu Ende bringen.

»Und die letzte Möglichkeit?« ermutigte mich der Dicke.

»Die letzte Möglichkeit ist also, daß du mich einfach gehen läßt.«

»Und worin liegt das Problem?«

»In dem Fall gibt es keins.«

»Jetzt blicke ich bald gar nicht mehr durch.«

»Also?«

»Also...«

»Und wenn ich zurückkommen will...«

»Und was, wenn du zurückkommen willst?«

»Kann ich?«

»Warum solltest du das nicht können, Demian?«

»Weil all meine Freunde, die eine Therapie gemacht haben, mir furchtbare Greuelmärchen erzählt haben über diese Unterbrechungen. Von versteckten Androhungen von Rückfällen bis hin zu offenen Ankündigungen von Katastrophen. Von geäußerten Zweifeln darüber, ob der Therapeut später noch Zeit für sie haben wird, bis hin zu Stigmatisierungen nach der Art: Für einen gehenden Patienten gibt es kein Zurück.«

»Aha, jetzt verstehe ich die Vorsicht in deiner Frage. Was mich angeht, kannst du jederzeit Urlaub von mir nehmen und zurückkommen, wann du willst. Ausschlaggebend für mich ist, ob die beiden Dinge in einem gesunden Verhältnis stehen: der therapeutische Nutzen der Übung und, natürlich, der Entwicklungsstand des Patienten.«

Der Dicke machte eine Pause, um einen Schluck Mate zu trinken.

»Wie immer ist auch hier wieder aus einer Regel, die in manchen Situationen absolut hilfreich sein mag, eine absurde Verallgemeinerung geworden.«

»Wie immer?«

»Wie so oft... Soll ich dir eine Geschichte erzählen?«

Es war einmal ein Guru, der mit seinen Schülern in einem indischen Aschram lebte. Täglich bei Sonnenuntergang versammelte er seine Anhänger und spach zu ihnen.

Eines Tages tauchte im Aschram eine schöne Katze auf, die dem Guru auf Schritt und Tritt folgte.

Und so wurde es zur Gewohnheit, daß die Katze während der Ansprache des Gurus zwischen den Jüngern umherspazierte und sie davon abhielt, sich auf die Worte des Meisters zu konzentrieren.

Damit sie nicht jedesmal störte, beschloß der Meister also, die Katze fünf Minuten vor Beginn der Rede wegzusperren.

So vergingen die Jahre, und irgendwann starb der Guru.

Der älteste seiner Schüler übernahm die Rolle des geistigen Oberhaupts des Aschrams.

Fünf Minuten vor seiner ersten Ansprache befahl er, die Katze einzusperren.

Seine Gefolgsleute brauchten geschlagene zwanzig Minuten, um die Katze zu finden und sie in ihren Käfig zu befördern.

Die Jahre vergingen, und irgendwann starb auch die Katze.

Da ordnete der neue Guru an, eine neue Katze zu erwerben, um sie einsperren zu können.

DER LÜGENDETEKTOR

Ich habe die Nase voll«, beklagte ich mich.

»Wovon hast du die Nase voll, Demian?«

»Daß man mich anlügt. Ich habe es satt, angelogen zu werden!«

»Und warum regst du dich so über die Lügen auf?« fragte Jorge, als hätte ich mich darüber beklagt, daß der Regen naß ist...

»Wie, warum? Weil es furchtbar ist! Ich reg mich über die Leute auf, die mich betrügen, beschwindeln oder mich mit ihren Ausflüchten einwickeln wollen.«

»Dich einwickeln? Wie schaffen sie das?«

»Sie lügen. Das tun sie.«

»Aber dazu braucht es doch mehr, Demian. Sie könnten dich tagelang anlügen, und du könntest dich über ihre Erklärungen amüsieren.«

»Aber ich falle drauf rein, Jorge. Ich vertraue ihnen, glaube ihnen... Irgendein Schwachkopf kommt mit einer erfundenen Geschichte, und ich kauf sie ihm ab. Ich bin ein Vollidiot!«

»Und warum glaubst du ihnen?«

»Weil... weil... Ach, weiß der Henker, warum ich ihnen glaube. Zum Teufel mit ihnen!« schrie ich. »Ich weiß es nicht... Ich weiß es einfach nicht.«

Der Dicke sah mich eine Weile schweigend an, dann fügte er hinzu: »Du weißt schon, daß es besser wäre, sich nicht aufzuregen. Aber jetzt, wo du eh schon wütend bist, läßt du's am besten laufen und wehrst dich nicht dagegen.«

Ich wußte, worauf der Dicke hinauswollte.

Nach Jorge waren Wut, Liebe und Schmerz nichts anderes als die Batterien des Körpers; das Gefühl war die Energie, die dem Handeln vorausgeht; und Aktion war ohne Emotion nicht möglich. Sie voneinander abzutrennen hätte Entfremdung zur Folge, man würde sich verlieren und aus seiner Mitte geraten.

Und genau das war es, was ich gerade tat: Ich versuchte, die Flut aufzuhalten, damit sie mich nicht wegschwemmte.

Mein Therapeut ließ sich auf den Boden fallen, er nahm ein riesiges Kissen und legte es vor sich hin. Wortlos klopfte er ein paarmal darauf und lud mich so ein, mit ihm zu arbeiten.

Ich begriff, was Jorge mir vorschlug. Schweigend setzte ich mich auf die andere Seite des Kissens und begann, mit den Fäusten darauf einzudreschen.

Immer mehr.

Und mehr.

Und mehr.

Ich schlug... und schlug... und schlug.

Und danach schrie ich.

Und stieß Verwünschungen aus.

Und ich schlug weiter.

Und schlug...

Und schlug...

Bis ich keuchend und erschöpft niedersank.

Der Dicke ließ mich wieder zu Atem kommen, legte mir dann eine Hand auf die Schulter und fragte: »Fühlst du dich jetzt besser?«

»Nein«, sagte ich. »Vielleicht leichter, aber nicht besser.«

»Das ist doch schon mal was«, sagte Jorge. »Es ist immer gut, eine Last abzuwerfen.«

Ich lehnte mich eine Weile an seine Brust und ließ mich trösten.

Ein paar Minuten später fragte Jorge:

»Willst du mir erzählen, was passiert ist?«

»Nein, Jorge. Der anekdotische Auslöser ist unwichtig. Inzwischen habe ich zumindest soviel Verstand, das einzusehen. Wichtig ist, herauszufinden, was dieses Thema für mich bedeutet. Ich spüre, daß es mich fast wahnsinnig macht.«

»Gut, irgendwo müssen wir anfangen. Dann versuch doch mal zusammenzufassen, wo deiner Meinung oder deinem Gefühl nach das Problem liegt.«

Ich machte es mir auf dem Boden bequem, zog ein paarmal hörbar die Nase hoch und wollte anfangen.

»Die Sache ist die, daß ich, wenn...« – der Dicke ließ mich nicht ausreden.

»Nein, nein, nein. Drück es im Telegrammstil aus. Als würde jedes Wort ein Vermögen kosten. Na, nun mach schon.«

Ich dachte ein bißchen nach.

»Ich mag es nicht, wenn man mich anlügt«, sagte ich schließlich.

Er war zufrieden.

Das war der Satz.

Acht Wörter.

Das war wirklich eine verknappte Botschaft.

Ich sah den Dicken an.

Schweigen.

Ich beschloß, eine Investition zu tätigen und einen zusätzlichen Betrag aufzuwenden, um meinen Satz noch etwas realistischer klingen zu lassen: »Ich mag es überhaupt nicht, wenn man mich anlügt! Das ist es!«

Der Dicke lächelte und setzte die Miene des verständnisvollen Großvaters auf, die ich bisweilen als »wie blöd bist du eigentlich, mein Lieber« interpretierte und ansonsten wie eine riesige Umarmung empfand, die besagte »ich bin ja da« oder »alles ist gut«.

»Ich mag es nicht!« bekräftigte ich.

»Wenn man dich anlügt«, führte Jorge zu Ende.

»Wenn man mich anlügt!« sagte ich.

»Wenn man *dich* anlügt«, bemerkte er.

»Ja, wenn man *mich* anlügt«, ich hatte keine Ahnung, worauf er hinauswollte. »Worüber lachst du?« fragte ich ihn schließlich.

»Ich lache nicht, ich lächle...«

»Was ist los?« fragte ich. »Ich verstehe überhaupt nichts.«

»Ich kenne die Stelle, an der du steckenbleibst. Ich kenne sie, weil ich irgendwo darüber gelesen habe. Ich kenne sie, weil ich selbst einen großen Teil meines Lebens dort steckengeblieben bin... Ich lächle aus Sympathie, weil ich mich wiedererkenne, weil ich ein anderes Ich erkenne aus einer anderen Zeit und weil es mir in deiner Haltung wieder entgegenkommt.«

»Das hilft mir nicht weiter, Jorge. Es genügt mir nicht, daß du das auch durchgemacht hast. Es tröstet mich nicht, daß das die befahrenste Strecke auf dem Erdball ist. Heute reicht mir das nicht!«

Der Dicke behielt seine Miene eines zufriedenen Buddhas bei.

»Das weiß ich. Ich weiß, daß dir das nicht genügt. Aber hast du's eilig, willst du denn schon gehen?«

»Nein. Ich will nicht gehen.«

»Dann beruhige dich. Du wolltest wissen, warum ich lächle, und ich wollte es dir erklären. Das ist alles.«

Jorge setzte sich wieder in seinen Sessel.

»Du magst es nicht, wenn man dich anlügt.«

»Ja.«

»Und wie kommst du darauf, daß man dich anlügt?«

»Wie, wie ich darauf komme? Man sagt mir etwas, von dem sich später herausstellt, daß es nicht die Wahrheit gewesen ist.«

»Aha. Da verwechselst du aber ›nicht die Wahrheit sagen‹ mit lügen.«

»Wie. Ist das nicht dasselbe?«

»Mitnichten!«

Mein logisches Denkvermögen war an einer Granitmauer zerschellt. Mein einziger Trost war es, daß – wie Jorge immer sagte – die Verwirrung das Eingangstor zur Klarheit ist, ich mußte auf der Schwelle zur höchsten Erleuchtung sein, denn ich verstand rein gar nichts.

»Ganz klar!« begann Jorge.

»Vielleicht klar für dich«, unterbrach ich. Der Dicke lachte herzhaft. Und sprach weiter: »Ob man die Wahrheit sagt oder nicht, hat nichts mit lügen zu tun. Ich gebe dir ein Beispiel.«

VOR VIELEN JAHREN, als die weltweit ersten Lügen-detektoren erfunden wurden, erregten sie vor allem unter Juristen und Verhaltensforschern großes Aufsehen. Der Apparat bestand aus verschiedenen Sensoren, die die physiologische Veränderung des Schweißes, Muskelkon-traktionen, Pulsveränderungen, Zittern oder Augenbe-wegungen registrierten, die bei einem Individuum auf-treten, wenn es lügt.

Damals fanden die Erfahrungen mit der »Wahrheits-maschine«, wie man sie nannte, rasch überall Verbrei-tung.

Eines Tages lag bei einem Rechtsanwalt ein sehr merk-würdiger Fall auf dem Tisch. Er brachte die Maschine in die psychiatrische Klinik der Stadt und setzte einen Pa-tienten hinein: J. C. Jones. Herr Jones war ein Psychoti-ker und behauptete in seinem Delirium, Napoleon Bona-parte zu sein. Vielleicht hatte er Geschichte studiert, jedenfalls kannte er das Leben Napoleons in- und aus-wendig und verkündete präzise und in der ersten Person singular kleine Details aus dem Leben des großen Kor-sen in logischer und zusammenhängender Folge.

Die Ärzte setzten Herrn J. C. vor den Lügendetektor, und nachdem sie routinemäßig die Einstellungen vorgenommen hatten, fragten sie ihn: »Sind Sie Napoleon Bonaparte?«

Der Patient dachte kurz nach und antwortete:

»Nein! Wie kommen Sie darauf? Ich bin J. C. Jones.«

Alle lächelten, außer dem Mann, der den Lügendetektor bediente, denn der gab die Information, daß Herr Jones gelogen hatte!

Die Maschine bewies, daß der Patient, als er die Wahrheit sagte, gelogen hatte... denn er glaubte, Napoleon Bonaparte zu sein.

ICH BIN PETER

Die Tatsache, daß jemand lügen konnte, während er die Wahrheit sagte, und die logische Umkehr, das heißt, die Möglichkeit, wahrhaftig zu sein, indem man lauter Falschheiten behauptete, brachte einiges in meinem Kopf durcheinander.

»Das ist ja furchtbar, Jorge«, sagte ich. »Das bedeutet, daß die Wahrheit eine subjektive Sache ist und folglich immer relativ.«

»Ja, unser Gespräch hat den Begriff der Lüge einigermaßen in Frage gestellt, nicht aber den Begriff der Wahrheit. Das Wahrhaftige kann nach wie vor absolut sein, auch wenn wir zugestehen müssen, daß es nicht unbedingt eine Lüge sein muß, etwas Falsches zur Wahrheit zu erklären. Aber da unsere Vorstellung von der Wahrheit sehr eng verbunden ist mit unserem Glaubenssystem, gelangen wir immer zu dem Schluß, den auch du gezogen hast und den ich im übrigen teile, aus ähnlichen und aus ganz anderen Gründen: Die Wahrheit ist relativ, subjektiv und − das möchte ich noch hinzufügen − veränderlich und ausschnitthaft.

»Das ist klar«, gab ich zu. »Und doch ändert das nichts an dem, was ich vorher gesagt habe. Ich mag es nicht, wenn man mich anlügt. Anders gesagt, ob es nun stimmt oder nicht, es stört mich, wenn man mir etwas sagt, von dem ich weiß, daß es nicht wahr ist. Wenn es für den, der es sagt, nicht einmal relativ, subjektiv oder partiell wahr ist. Es stört mich, wenn man mich anlügt.«

»Und warum, denkst du, lügt man dich an?«

»Fangen wir jetzt wieder von vorne an?« sagte ich.

»Ich will fragen, warum du denkst, daß man *dich* anlügt.«

»Woher soll ich denn das wissen? Ich bin doch derjenige, dem pausenlos Lügen aufgetischt werden«, sagte ich genervt.

»Jetzt reg dich ab. Ich glaube, daß jemand, der lügt, einfach nur lügt. Nicht etwa *dich* anlügt oder *mich*. Er lügt einfach. Im besten Fall belügt er *sich selbst*.«

»Nein!«

»Doch! Warum lügen die Leute, Demian? Denk mal nach, wozu?«

»Was weiß denn ich! Es gibt tausend Gründe dafür...«

»Nenn mir einen. Den, wegen dem du so mies gelaunt in die Sitzung gekommen bist.«

»Um etwas zu vertuschen, das man angestellt hat.«

»Und, warum?«

»Damit der andere nicht schlecht über einen denkt.«

»Und warum soll der andere nicht schlecht über einen denken?«

»Weil er einen dann verurteilen würde.«

»Und warum will man nicht vom anderen verurteilt werden?«

»Weil der andere einem wichtig ist.«

»Und?«

»Und... man will nicht für seine Fehler geradestehen.«

»Das heißt, man will sich vor der Selbstverantwortung drücken.«

»Genau.«

»Also gut. Sagen wir mal, das ist der Grund in neunundneunzig Prozent der Fälle.«

»Mag sein.«

»Und woher soll der Lügner wissen, daß er sich hätte für etwas verantwortlich fühlen sollen? Wer legt seine Verantwortlichkeit fest?«

»Niemand, er selbst.«

»Ganz genau. Nur er selbst.«

»Und?«

»Kapierst du nicht? Der Lügner fürchtet sich nicht vor dem Urteil der anderen und auch nicht vor der Strafe, die auf dieses Urteil folgt. Der Lügner hat sich schon selbst verurteilt und bestraft. Verstehst du? Der Fall ist bereits entschieden. Wer lügt, versteckt sich vor seinem eigenen Urteil, seiner eigenen Bestrafung und seiner eigenen Verantwortung. Wie ich dir gesagt habe, das Problem ist nicht das der anderen, sondern desjenigen, der lügt.«

Ich erstarrte. Das alles stimmte. Ich wußte es, weil ich es schon beobachtet hatte, an mir selbst und bei anderen. Ich log, wenn ich bereits über mich selbst gerichtet und mich verurteilt hatte.

»Aber eins ist sicher, es bleibt dabei, daß er mich anlügt!«

»So sicher, wie wenn meine Mutter zu meinem Bruder Cacho sagt: ›Du rührst mir das Essen nicht an.‹ Mein Bruder aß *ihr* nichts vom Fleisch, nahm *ihr* nicht von der Suppe und probierte *ihr* auch nicht ihren leckeren Pudding...«

»Nein, das ist nicht dasselbe. Wenn mich jemand anlügt, lügt er *mich* an.«

»Nein, Demian. Ich verstehe, daß du dich für den Nabel deiner Welt hältst. Das bist du auch. Aber du bist nicht der Nabel *der* Welt. Er lügt. Er lügt nicht *dich* an. Er tut es, weil er sich dazu entschlossen hat, weil es ihm in den Kram paßt oder weil er einfach Lust dazu hat. Das ist *seine* Entscheidung. Zu sagen, daß er *dich* anlügt, zieht dich in einen selbstbezogenen Strudel, in dem etwas, das in Wahrheit sein Problem ist, zu *deinem* Problem wird. Ärger dich nicht darüber!«

»Aber ist es denn für ihn ein Problem?«

»Wenn er sich belügt, um sich einer Verantwortung zu entziehen, scheint es fast wie ein Symptom. Wir haben doch schon oft gesehen, daß die Neurose eigentlich nichts weiter ist als eine Weigerung, erwachsen zu sein, sich der Verantwortung zu entziehen, die ein Entwicklungsprozeß mit sich bringt.«

»Keine Ahnung. Ich muß drüber nachdenken. Im Alltagsleben profitiert der Lügner, nicht der, der sich darüber aufregt.«

»Auch wenn dem so wäre, Gerechtigkeit hat nichts mit Wohlbefinden zu tun. Außerdem hängt es davon ab, was du unter ›profitieren‹ verstehst.

Etwas auf einer Lüge aufzubauen ist heikel. Ich glaube,

eine Lüge kann, wenn es hochkommt, die Dinge für eine Weile in die gewünschte Richtung laufen lassen, auch wenn der Lügende im Inneren weiß, daß es die falsche Form ist, eine Fiktion, die sich auf seine Lüge stützt, nichts weiter als Pappmaché.«

»Das ist doch nicht der Grund, warum wir lügen, jedenfalls nicht bewußt. Ich glaube, ich lüge meistens dann, wenn ich versuche, Oberhand über eine Situation zu gewinnen.«

»Das heißt, Macht…«

»Ja, in gewisser Weise, Macht. Ich bin der, der die Wahrheit kennt. Ich ziehe die Fäden. Ich täusche dich. Ich betrüge dich. Ich ärgere dich. Eine erbärmliche Macht, aber immerhin Macht.«

»Soll ich dir ein Märchen erzählen?«

Schon lange hatte mir Jorge kein Märchen mehr erzählt.

»Also los!«

»Na, es ist so etwas Ähnliches wie ein Märchen.«

Es war einmal eine schäbige kleine Spelunke in einem der lebendigsten Viertel der Stadt. Die düstere Atmosphäre schien exakt einem Ganovenroman entsprungen zu sein.

Ein betrunkener Klavierspieler mit tiefen Augenringen hämmerte einen langweiligen Blues in irgendeiner Ecke, die man im schummerigen Licht und beim dichten Zigarrenqualm kaum ausmachen konnte. Plötzlich wurde die Tür aufgetreten. Der Klavierspieler unterbrach sein Spiel, und alle Blicke richteten sich auf den Eingang.

Ein muskelbepackter Riese mit Tätowierungen auf seinen Herkulesarmen trat ein. Eine schreckliche Narbe auf der Wange verzerrte sein Gesicht vollends zur furchteinflößenden Fratze. Mit einer Stimme, die einem das Blut in den Adern gefrieren ließ, schrie er: »Wer von euch ist Peter?«

Beklemmende Stille machte sich in der Bar breit. Der Riese trat zwei Schritte vor, schnappte sich einen Stuhl und schleuderte ihn in einen Spiegel.

»Wer ist Peter?« fragte er erneut.

Ein bebrilltes kleines Männlein stand von seinem Stuhl an einem der Seitentische auf. Fast lautlos ging es auf den Riesen zu und flüsterte mit kaum hörbarer Stimme: »Ich, ich bin Peter.«

»Sieh mal an! Du bist also Peter? Ich bin Jack, du verdammter Hurensohn!«

Mit einer einzigen Hand hob er den kleinen Mann in die Luft und schmetterte ihn gegen einen anderen Spiegel. Er richtete ihn wieder auf und verpaßte ihm zwei Fausthiebe, daß ihm fast der Kopf wegflog. Danach zermalmte er seine Brille. Er riß ihm die Kleider vom Leib, stieß ihn auf den Boden und sprang auf seinem Bauch herum.

Ein kleiner Faden Blut rann dem Männlein, das halb bewußtlos am Boden lag, zwischen den Lippen hervor.

Der Riese näherte sich dem Ausgang und sagte, bevor er die Bar verließ: »Niemand macht sich über mich lustig. Hört ihr, niemand!«

Kaum hatte sich die Tür geschlossen, beeilten sich

zwei Männer, dem Opfer des Gemetzels zu helfen. Sie setzten ihn auf und flößten ihm Whisky ein.

Das Männlein wischte sich das Blut vom Mund und begann zu lachen, erst ganz leise, dann in immer lauteren Schüben.

Die Leute schauten ihn fassungslos an. Hatte er über den Schlägen den Verstand verloren?

»Ihr versteht auch gar nichts«, sagte das Männlein und lachte und lachte. »Dem Idioten hab ich's gegeben.«

Die anderen konnten ihre Neugier nicht zügeln und bestürmten ihn mit Fragen.

Wann?

Wie?

War eine Frau im Spiel?

Oder Geld?

Was hast du ihm angetan?

War er deinetwegen im Knast?

Das Männlein lachte weiter.

»Nein, nein. Jetzt gerade hab ich's diesem Blödmann gezeigt, ihr habt's doch alle gesehen. Ich ... ha, ha, ha, ha, ha! Ich ... Ich bin gar nicht Peter!«

Als ich das Sprechzimmer verließ, mußte ich immer noch lachen. Ich hatte das Bild dieses armen malträtierten Männleins vor Augen, das glaubte, sich über einen Giganten lustig gemacht zu haben.

Ein paar Blocks weiter verging mir das Lachen, und ein merkwürdiges Gefühl von Selbstmitleid stieg in mir auf ...

DER TRAUM DES SKLAVEN

Die Wut dieses Tages war wie verflogen.

Ich spürte, es steckte noch etwas viel Wichtigeres für mich im Thema Lüge.

Die ganze Woche über hatte ich darüber nachgedacht, hatte meinen eigenen Hang zur Lüge wiederentdeckt und mich an meine eigenen Lügen und an die der anderen erinnert. Immer wieder stolperte ich über Jorges Resümee, das nun in mir seine Früchte trug:

Wenn jemand ein Problem mit den Lügen hat, dann ist es der Lügner selbst.

Ich befaßte mich eine Weile mit den »frommen« Lügen.

Sie schienen mir einer anderen Kategorie anzugehören, in der es weder Verurteilung noch Selbstbestrafung gab.

Und auch nicht den Versuch, sich der eigenen Verantwortung zu entziehen.

Obwohl, genau betrachtet, gab es *doch* einen Preis, den ich nicht zahlen wollte, wenn ich zum Schutze anderer log. Ich wollte mich nicht mit ihrem Schmerz konfrontieren oder mit ihrer Ohnmacht oder Wut.

Und als wäre das noch nicht genug, ging mir auf, welcher Mechanismus bei vielen dieser frommen Lügen griff:

Ich versetzte mich in die Rolle der anderen. Mit den Worten meines Therapeuten gesagt: Ich identifizierte mich mit dem Opfer. Und getreu dem Motto: *Wenn das meine Realität wäre, würde ich es lieber nicht wissen wollen,* fühlte ich mich im Recht, den anderen im eigenen Interesse die Wahrheit vorzuenthalten.

So besehen, wurde mir klar, daß die Lüge eher eine makabere Manipulation denn ein frommer Akt war.

Grauenhaft!

Wieder eine Lüge, die nicht den anderen, sondern einem selbst diente. Bis wohin geht die Frömmigkeit? Sie reicht nur bis zu mir selbst!

Fast alle Lügen sind fromme Lügen, aber nur fromm in Bezug auf einen selbst, fromm für den, der lügt...

»Fromme Lügen sind nur fromm für einen selbst«, sagte ich dem Dicken gegenüber.

»Wie recht du hast, Demian. So habe ich es noch nie gesehen. Das scheint mir ein grundlegender Gedanke«, wertete der Dicke. »Fromme Lügen sind immer verdächtig und vom moralischen und philosophischen Gesichtspunkt aus manchmal schwer zu beurteilen. Eine der schwierigsten ethischen Fragen ist in meinen Augen das sokratische Dilemma vom Menschen und dem Sklaven.

Zuletzt hat es Lea in einer Paartherapiegruppe ins Spiel gebracht, die wir gemeinsam leiteten. Als ich es hörte, klang etwas in mir an, und ich erinnerte mich vage daran, daß ich die Geschichte einmal gelesen hatte und sie mir wichtig erschienen war. Als ich beobachtete, wie sich die Diskussion unter den Teilnehmern entspann, und ich

gleichzeitig bemerkte, daß in mir ein innerer Prozeß losge‍
treten war, begriff ich, daß ich Lea über ihre Freundschaft
hinaus noch etwas anderes zu verdanken hatte.

Die Geschichte ist ganz einfach.«

> ICH GEHE EINEN einsamen Weg.
> Ich genieße die frische Luft, die Sonne, die Vögel
> und das gute Gefühl, daß mich meine Füße
> dahin tragen, wohin sie wollen.
> Am Wegesrand liegt ein schlafender Sklave.
> Ich trete an ihn heran und bemerke, daß er träumt.
> Aus seinen Worten und Gesten schließe ich...
> daß ich weiß, was er träumt:
> Der Sklave träumt davon, frei zu sein.
> Sein Gesicht spiegelt Ruhe und Frieden.
> Ich frage mich:
> Soll ich ihn wecken und ihm zeigen,
> daß es nur ein Traum ist,
> damit er weiß, daß er immer noch Sklave ist?
> Oder soll ich ihn schlafen lassen, solang er kann,
> und ihn – wenn auch nur im Traum –
> seine imaginierte Realität genießen lassen?

»Was ist die richtige Antwort...?« fügte Jorge hinzu.

Ich zuckte die Schultern.

»Es gibt keine richtige Antwort«, fuhr er fort. »Jeder
muß darauf seine eigene Antwort finden, und zwar nur bei
sich selbst.«

»Ich glaube, ich würde wie angewurzelt vor dem Skla‍

ven stehenbleiben und nicht wissen, was ich tun soll«, sagte ich.

»Ich werde dir einen Hinweis geben, der dir vielleicht irgendwann mal nützlich ist. Wenn du dort wie angewur∕zelt vor ihm stehst, schau ihn dir genau an. Sollte ich der Sklave sein, der da liegt, dann zögere nicht:

Weck mich auf!«

DIE FRAU DES BLINDEN MANNES

An diesem Tag bohrte ich nach.

»Mir scheint, du hältst das Lügen nicht für problematisch, aber Lügen ist etwas Schlechtes. So hat man es uns zumindest beigebracht.«

»Bist du dir sicher, Demian? Glaubst du wirklich, man bringt uns bei, nicht zu lügen? Ich wär mir da nicht ganz so sicher. Stell dir folgende Szene vor, wie sie Tag für Tag überall auf der Welt passiert:

GERADE HAT MAN das Kind bei einer Lüge ertappt.

Der Vater, ein moderner, aufgeschlossener Mensch, weiß, daß diese konkrete Lüge an sich völlig belanglos ist, aber es geht um den Gedanken der Lüge an sich.

Der Vater läßt also das, was er gerade tut, stehen und liegen und setzt sich mit seinem Kind hin, um ihm mit ernsten Worten zu erklären, warum man immer die Wahrheit sagen soll, was auch passiere und komme auch, was da wo...

Das Telefon klingelt.

Das Kind, das Pluspunkte sammeln will, sagt: »Ich geh schon« und läuft los, um das Telefon abzunehmen.

Kurz darauf kommt es zurück.

»Es ist der Versicherungsvertreter, Papa.«

»Ach. Ausgerechnet jetzt? Sag ihm, daß ich nicht da bin.«

Man bringt uns bei, nicht zu lügen? Das bezweifle ich. Man sagt uns, daß man nicht lügen soll, das schon. Aber bringen uns unsere Eltern, unsere Lehrer, unsere Pfarrer, unsere Regierung etwa bei, nicht zu lügen?«

Jorge machte eine Pause, schenkte Mate nach und fuhr fort: »Mir scheint, bei der Frage, wie es der einzelne mit der Lüge hält, betreten wir einen sehr persönlichen, subjektiven Bereich. Und ebenso bei der Frage, warum lügen schlecht sein soll.

Immer wieder erleben wir, wie in unserer Gesellschaft unberechenbare Menschen abgelehnt werden. Das bedeutet Kontrollverlust und kompliziert die Spielregeln des Zusammenlebens, zumindest in einem System wie dem unseren. In diesem System ist lügen schlecht, weil von einem Lügner niemand sicher sagen kann, was er denkt, was er tut oder was mit ihm los ist. Um die Kontrolle über eine Situation zu wahren, brauche ich Tatsachen. Wenn meine eigenen Sinne nicht darüber Auskunft geben können, brauche ich die Information von dir und muß mich darauf verlassen können, daß das, was du sagst, die Wahrheit ist.«

»Aber ohne darauf vertrauen zu können, was mir die anderen sagen«, argumentierte ich, »kann ich doch nicht leben.«

»Niemand kann dir verbieten zu vertrauen, Demian. Ich glaube nur nicht, daß du anderen das Lügen verbieten kannst.«

»Aber Jorge, wenn jeder sagen würde, worauf er gerade Lust hat, das wäre doch furchtbar. Wenn alle lügen und niemand mehr dem anderen Glauben schenken kann, entsteht ein einziges Chaos.«

»Das ist eine Möglichkeit«, sagte der Dicke, »aber es ist nicht die einzige. Es gibt eine andere Möglichkeit, die ich für wahrscheinlicher halte. Wir haben ja schon festgestellt, daß man lügt, weil man sich selbst verurteilt hat und nun das Urteil der anderen fürchtet. Und wir haben festgestellt, daß der, der lügt, sich bereits selbst bestraft hat.

Aber stell dir eine freie Welt vor, eine Welt mit unermeßlichen Freiräumen, eine Welt, in der es keine Verbote gibt, nichts Unangenehmes oder Verpflichtendes.

In einer solchen Welt bräuchte sich niemand selbst zu bestrafen oder zu verurteilen und auch nicht mit der Verurteilung durch andere rechnen. Und weil dadurch jeder die Freiheit hat, zu lügen oder nicht zu lügen, die Wahrheit zu sagen oder sie zu verbergen, kann es vielleicht geschehen, daß wir alle gleichzeitig das Lügen seinlassen und die Welt sich in einen Raum verwandelt, in dem weder Spannungen noch Mißtrauen herrscht.

Das wäre die andere Möglichkeit, Demian.«

»Bist du sicher, daß diese Möglichkeit überhaupt besteht?«

»Nein, sicher bin ich mir da nicht. Aber es gibt wenige Dinge, deren ich mir sicher bin, deswegen möchte ich lieber fest an diese Möglichkeit glauben, die, wenn auch nicht sicher, so doch zumindest wünschenswert ist.«

»Dir ist auch jedes Mittel recht.«

»Nicht jedes, aber wenn es paßt, setze ich es ein.«

»Sag mal, Dicker. Wenn es also stimmt und dein Traum eine Möglichkeit wäre, warum entscheidet sich die Menschheit dann nicht, diesen ›Raum, in dem weder Anspannung noch Mißtrauen herrscht‹, wie du ihn nennst, zu betreten?«

»Weil man als erstes die Angst überwinden muß, Demian.«

»Welche Angst?«

»Die Angst vor der Wahrheit. Irgendwann werde ich dir die Geschichte vom Wahrheitsladen erzählen.«

»Und warum nicht heute?«

»Weil heute eine andere Geschichte dran ist.«

Es war einmal ein Mann in einem Dorf, der hatte eine seltene Augenkrankheit.

Der Mann war während der letzten dreißig Jahre seines Lebens blind gewesen.

Eines Tages kam ein berühmter Arzt ins Dorf, dem man seinen Fall vorlegte.

Der Doktor versicherte, daß mit einer Operation der Mann sein Augenlicht wieder zurückgewinnen könne.

Seine Frau, die sich alt und häßlich fand, war dagegen.

DIE EXEKUTION

A ber dann bedeutet dir die Ehrlichkeit wohl gar nichts«, protestierte ich.

»Doch, tut sie, Demian. Ich will sie nur niemandem verordnen.«

»Und wie soll die von dir und von mir so gewünschte Welt Wirklichkeit werden?«

»Im Lauf deines Lebens wirst du mehr und mehr Leute treffen, und zum Teil hast du sie ja bereits getroffen, mit denen du dich so frei fühlst, daß du nicht zu lügen brauchst. Du wirst Leute treffen, denen du so vollständig zugestehst zu sein, wie sie sind, daß es ihnen niemals einfallen würde, dich zu belügen. Das sind deine wahren Freunde. Gib auf sie acht«, befahl Jorge. »Und wenn du und diese Freunde, wenn ihr merkt, daß mit euch eine neue Ordnung beginnt...«

»Sag, ist für dich Offenheit allein in der Freundschaft möglich?«

»Ja. Aber Vorsicht: Offenheit ist eins und Ehrlichkeit das andere.«

»Mehr?«

»Anders!«

»Inwiefern?«

»Offenheit kommt von offen. Denk an ›Zugang frei‹.

Offen sein bedeutet, es gibt keinen dunklen Raum in meinem Inneren, zu dem der Eintritt verboten ist. Es gibt keinen Winkel in meinen Gedanken, meinem Gefühl oder meiner Erinnerung, den ich nicht kenne oder der nur mir zugänglich ist. Ehrlichkeit ist weit weniger. Ehrlichkeit heißt für mich: ›Alles, was ich sage, ist wahr. Jedenfalls für mich.‹ Heißt, ›ich lüge dich nicht an‹, wie du sagen würdest.«

»Kann es sein, daß man ehrlich ist, aber nicht offen?«

»Absolut. Offenheit, Demian, ist eine verschwenderische Sache, wie die LIEBE, großgeschrieben. Ein Gefühl, das nur wenigen vorbehalten bleibt, sehr wenigen.«

»Aber wenn das so ist, Jorge, kann ich in mir Räume haben, zu denen dir der Zutritt verweigert ist, ohne deshalb unehrlich zu sein. Es ist, als würdest du sagen, etwas zu verbergen ist nicht lügen.«

»Für mich ist verbergen jedenfalls nicht lügen. Wenn du nicht gerade lügst, um etwas zu verbergen.«

»Ein Beispiel bitte.«

GESPRÄCH EINES PAARES.

»Was ist mit dir los?«

»Nichts.«

(Doch. Es ist etwas mit ihm los, und er weiß auch, daß etwas mit ihm los ist. Er weiß nur nicht, was. Er lügt.)

Ein anderer Fall:

»Was ist los mit dir?«

»Ich weiß es nicht.«

(Doch. Es ist etwas mit ihm los, und er weiß auch was. Also lügt er.)

Und noch einer:

»Was ist mir dir los?«

»Ich will jetzt nicht mit dir darüber reden.«

(Kann sein, daß das problematisch scheint, doch dieser Mensch verbirgt etwas und ist ehrlich.)

»Aber Jorge, in den ersten beiden Fällen wird meine Partnerin Verständnis für mich haben und es tolerieren. Im letzten schickt sie mich zum Teufel.«

»Vielleicht ist es für dich an der Zeit zu merken, daß du eine Partnerin hast, die sich verständnisvoll und tolerant zeigt, wenn du lügst, und dich bestraft, wenn du ehrlich bist.«

»Hast du eigentlich auf alles eine Antwort?«

»Ja! Es gibt immer eine Antwort. Auch wenn sie manchmal aus Schweigen besteht, aus Verwirrung oder einfach Flucht bedeutet.«

»Du hast mich satt.«

»Ich hab mich auch manchmal satt.«

»So, Jorge. Ich fasse mal zusammen.«

»Nur zu.«

»Du sagst, du bist nicht der Meinung, die Lüge sei etwas Schlechtes. Es sei eine Entscheidung, die jeder für sich und für den Moment treffen müsse.«

»Und bei jeder Begegnung neu«, fügte Jorge hinzu.

»Und bei jeder Begegnung neu«, hielt ich fest. »Du behauptest auch, lügen sei nicht verbergen.«

»Nein. Ich vertrete die Meinung, daß verbergen nicht lügen ist, und das ist nicht dasselbe.«

»Richtig. Und du sagst, daß man die Ehrlichkeit seinen Freunden vorbehalten soll und die Offenheit den Auserwählten. Ist es nicht so?«

»Ja, mehr oder weniger.«

»Na schön. Ob ich also glaube, was du sagst, oder nicht, hängt immer von der Beziehung zwischen uns beiden ab. Von meinem Vertrauen oder meiner Liebe.«

»Natürlich. Davon, und von deiner Lust.«

»Welcher Lust?«

»Soll ich dir eine Geschichte erzählen?«

IN EINEM FERNEN Land lebte ein Gutsherr, dessen Macht mindestens ebenso groß war wie seine Grausamkeit.

In seinem Reich herrschte sein Gesetz, und den Bauern war es sogar verboten, ihn beim Namen zu nennen. Das Dorf lebte unterdrückt von den Häschern, die er ernannte, und gebeutelt von den Steuereintreibern, die ihm das wenige Geld raubten, das ihm der Verkauf der Ernte, des Weins und des Kunsthandwerks einbrachte.

Nolav, so hieß der Herr, hatte eine mächtige Armee, aus der bisweilen junge Offiziere hervorgingen, die versuchten, ihn zu stürzen. Doch der Tyrann schlug solche Versuche blutig nieder.

Der Dorfpriester war so gütig, wie der Herrscher böse war, ein gottesfürchtiger Mann, der sein Leben in den Dienst der anderen stellte und all sein Wissen an sie weitervermittelte.

In seinem Haus lebten fünfzehn oder zwanzig Schüler, die seinem Beispiel folgten und jede Geste und jedes Wort ihres Lehrers in sich aufsogen.

Eines Tages nach dem Morgengebet versammelte er seine Schüler um sich und sagte: »Meine Söhne, wir müssen unserem Dorf helfen. Eigentlich könnte sich jeder seine Freiheit selbst erkämpfen, aber der Gutsherr wiegt die Männer und Frauen im Glauben, er sei viel zu mächtig, als daß sie gegen ihn aufbegehren könnten. Ihre Angst vor Nolav wächst, und wenn wir nichts dagegen unternehmen, werden sie alle als Sklaven sterben.«

»Wir werden tun, was du sagst«, antworteten sie einstimmig.

»Auch, wenn es euch das Leben kostet?« fragte er.

»Welchen Wert hat das Leben, wenn jemand, der seinem Bruder helfen kann, es nicht tut?« antwortete einer der Schüler, der als Wortführer fungierte.

Es kam der fünfte Tag des dritten Monats. An diesem Tag feierte man im Palast den Geburtstag des Gutsherren, und das einzige Mal im ganzen Jahr fuhr er in seiner Kutsche durch das Dorf.

Begleitet von einer bewaffneten Eskorte und herausgeputzt in einem edelsteinbestickten Gewand mit Goldborte, begann Nolav seine Rundfahrt an diesem Morgen.

Per öffentlicher Bekanntmachung war angeordnet worden, daß alle Bauern sich als Zeichen des Respekts vor der vorbeifahrenden Kutsche niederwerfen sollten.

Zur Überraschung aller fuhr die Kutsche ein paar Straßen vom Palast entfernt an einem Haus vorbei, an dem einer der Untergebenen stehen blieb, anstatt sich zu verneigen. Die Wachen nahmen ihn sofort fest und führten ihn dem Herrn vor.

»Weißt du nicht, daß du dich verneigen sollst?«

»Das weiß ich, Hoheit.«

»Aber du hast es nicht getan.«

»Nein, ich habe es nicht getan.«

»Weißt du, daß ich dich zum Tode verurteilen kann?«

»Das hoffe ich, Hoheit.«

Nolav war von der Antwort überrascht, aber er ließ sich nicht beeindrucken.

»Na schön. Wenn du auf diese Art sterben willst, wird dir der Henker im Morgengrauen den Kopf abschlagen.«

»Vielen Dank, mein Herr«, sagte der junge Mann. Und kniete lächelnd nieder.

In der Menge rief jemand: »Mein Herr, mein Herr! Erteilt mir das Wort.«

Der Tyrann ließ ihn näher kommen.

»So sprich.«

»Bitte erlaubt mir, mein Herr, daß ich heute an seiner Stelle sterbe.«

»Du willst an seiner Statt geköpft werden?«

»Ja, mein Herr. Ich bitte darum. Ich bin Euch immer treu gewesen. Gewährt mir diese Bitte.«

Der Herr war überrascht und fragte den Verurteilten: »Ist das ein Verwandter von dir?«

»Ich habe diesen Menschen noch nie in meinem Leben gesehen. Erlaubt ihm nicht, an meiner Stelle zu sterben. Es war mein Fehler, und es ist mein Kopf, der rollen soll.«

»Nein Hoheit, der meine.«

»Nein, meiner.«

»Der meine.«

»Ruhe!« schrie der Herr. »Ich werde euch beiden den Gefallen tun. Alle beide werdet ihr geköpft.«

»Danke, Hoheit. Aber da ich zuerst verurteilt wurde, erlaubt mir, als erster zu sterben.«

»Nein, mein Herr. Dies Privileg gehört mir, denn ich habe Eure Hoheit nicht einmal beleidigt.«

»Genug jetzt. Was soll das?« schrie Nolav. »Schweigt, und ich lasse euch das Privileg zuteil werden, im gleichen Moment zu sterben. Es gibt mehr als einen Henker auf dieser Erde.«

In der Menge erhob sich eine Stimme.

»Wenn das so ist, Herr, dann möchte ich auch auf der Liste stehen.«

»Ich auch, Herr.«

»Und ich.«

Der Lehnsherr war erstaunt.

Er verstand nicht, was da vor sich ging.

Und wenn es etwas gab, das den Tyrannen in schlechte Laune versetzen konnte, dann war es, nicht zu wissen, was los war.

Fünf gesunde junge Männer baten um ihre Enthaup-
tung, das war schlicht und einfach unverständlich.

Er schloß die Augen, um nachzudenken.

Kurz darauf hatte er eine Entscheidung gefällt. Seine
Untergebenen sollten ihn nicht für wankelmütig halten.

Fünf Henker mußten her!

Als er jedoch die Augen öffnete und die Leute sah, die
sich um ihn scharten, waren es nicht mehr fünf, sondern
mehr als zehn Stimmen, die darum baten, exekutiert zu
werden. Und immer mehr Hände hoben sich.

Das war zuviel für den mächtigen Herrn!

»Es reicht!« schrie er. »Alle Vollstreckungen werden
vertagt, bis ich entschieden habe, wer wann sterben
soll.«

Unter dem Protest und den Bekräftigungen derjenigen, die sterben wollten, kehrte die Kutsche in den Palast
zurück.

Dort angekommen, schloß sich Nolav in seinen Ge-
mächern ein und brütete über dem Thema.

Da kam ihm plötzlich eine Idee.

Er schickte nach dem Priester. Der mußte etwas über
diese um sich greifende Raserei wissen.

Schnell holten sie den Alten und führten ihn vor den
Herrn.

»Warum streitet man sich im Dorf darum, exekutiert
zu werden?«

Der Alte antwortete nicht.

»Antworte!«

Schweigen.

»Ich befehle es dir!«

Schweigen.

»Fordere mich nicht heraus. Ich habe Mittel, dich zum Sprechen zu bringen!«

Schweigen.

Der Alte wurde in die Folterkammer geführt und stundenlang den grausamsten Torturen unterzogen. Aber er weigerte sich zu sprechen.

Der Tyrann schickte seine Wachen in das Gotteshaus, um ein paar der Schüler herbeizuholen.

Als sie eintrafen, zeigte er ihnen den Körper ihres mißhandelten Meisters und fragte sie: »Aus welchem Grund wollen die Männer umgebracht werden?«

Mit einem Hauch von Stimme sagte der alte Priester: »Ich verbiete euch zu sprechen!«

Der Gutsherr wußte, daß er niemandem der Anwesenden mit der Todesstrafe drohen konnte. Also sagte er ihnen: »Ich werde euren Meister die schlimmsten Qualen erleiden lassen, die ein Mann jemals erfahren hat. Und ich zwinge euch, dem beizuwohnen. Wenn ihr diesen Mann liebt, verratet mir sein Geheimnis, und danach lasse ich euch alle gehen.«

»Gut«, sagte einer der Schüler.

»Sei still«, sagte der Alte.

»Fahre fort«, sagte Nolav.

»Wenn heute jemand umgebracht wird ...«, begann der Schüler.

»Schweig«, wiederholte der Alte. »Verdammt seist du, wenn du das Geheimnis preisgibst.«

Der Herr gab ein Zeichen, und der Alte erhielt einen Schlag, von dem er das Bewußtsein verlor.

»Fahre fort«, befahl er.

»Der erste Mann, der heute nach Sonnenuntergang exekutiert werden wird, wird unsterblich sein.«

»Unsterblich? Du lügst!« sagte Nolav.

»Es steht geschrieben«, sagte der junge Mann. Er nahm ein Buch aus seiner Tasche, schlug es auf und las den entsprechenden Absatz vor.

›Unsterblich!‹ dachte der Gutsherr.

Das einzige, was der Tyrann fürchtete, war der Tod, und dies war die Gelegenheit, ihn zu besiegen. ›Unsterblich‹, dachte er.

Der Herr zögerte keine Sekunde. Er bat um Papier und Feder und ordnete seine eigene Exekution an.

Alle wurden des Palastes verwiesen, und bei Sonnenuntergang wurde Nolav, gemäß seinem eigenen Befehl, enthauptet.

Auf diese Art hatte sich das Dorf von seinem Unterdrücker befreit und sich erhoben, um für seine Freiheit zu kämpfen. Einige Monate später waren alle frei.

Über den Gutsherrn wurde nie wieder gesprochen, bis auf ein einziges Mal, in der Nacht seiner Exekution, da die Schüler, während sie die Wunden des Meisters versorgten, nicht nur dessen Segen dafür erhielten, daß sie ihren Kopf riskiert hatten, sondern auch seine Glückwünsche für ihr wunderbares Verhalten.

»Demian, wieso hat der Gutsherr eine solche Lüge geglaubt? Warum war er dazu fähig, seine eigene Exekution anzuordnen, allein aufgrund einer Geschichte aus Feindesmund? Wie konnte er in die Falle des Meisters tappen? Es gibt nur eine Antwort: *Weil er es glauben wollte.*

Er wollte glauben, daß es stimmt. Und das ist es, Demian, das ist einer der unglaublichsten wahren Beweggründe, die ich in meinem ganzen Leben kennengelernt habe. Manche Lügen glauben wir aus den verschiedensten Gründen, aber vor allem, weil wir sie glauben *wollen.*

Warum du dich so sehr darin verbeißt, wer *dich* belügt, hast du mich neulich gefragt.

Du verbeißt dich so sehr, weil du glauben willst, daß das, was man dir sagt, stimmt!«

Er beantwortete seine eigene Frage.

»Niemand läuft eher Gefahr,
getäuscht zu werden,
als der, dessen Wünschen
die Lüge zuträglich ist.«

DER GERECHTE RICHTER

Wie immer, wenn eine Revolution in meinem Kopf stattgefunden hatte, begannen sich die Gedanken danach allmählich abzusetzen und die Verknotungen zu lösen.

Wie oft hatte ich schon versucht, das unerklärliche Mysterium der ewigen Schnäppchenmacher zu verstehen.

Und noch nie konnte ich auch nur den Hauch einer Erklärung für die unzähligen Opfer der Mär von der wundersamen Geldvermehrung finden.

Was ging jemandem durch den Kopf, der für einen Apfel und ein Ei einen Ozean erwarb?

Wie kam jemand dazu, sich zum Kompagnon eines Trickbetrügers zu machen?

Warum war ein auch nur halbwegs intelligenter Mensch überrascht, wenn eine Ware, die er für einen lächerlich niedrigen Preis gekauft hatte, sich als Schrott erwies?

Hier schließlich war die Antwort: All die Betrogenen hatten in einem gewissen Moment daran geglaubt, daß ihnen die Sache nützen könnte. Die Mehrheit hatte eine gewisse Zeit damit zugebracht, sich insgeheim an ihrem bevorstehenden Gewinn zu weiden. Viele hatten es genossen, zu glauben, daß sie es waren, die die anderen über den Tisch gezogen hatten...

Tat ich nicht das gleiche, wenn ich auf einen Köder anbiß?

Natürlich tat ich das gleiche.

Genau das tue ich, wenn sie mich hochnehmen.

Daß sie mich hochnehmen können, kommt allein daher, daß ich mich an ein Versprechen oder eine Zusage klammere, die in meinen Ohren verlockend klingt.

»Daß sie mich hochnehmen...« Das klingt doch schon nach geködert werden.

Was keineswegs verwunderlich ist. Sogar der Ausspruch »auf einen Köder anbeißen« legt das nahe. Einen Köder schlucken, an dem ein verführerischer Wurm hängt, oder noch schlimmer, eine attraktive, bunte und ansehnliche – Plastikfliege!

Sie nehmen mich hoch, und ich schlucke den Köder... Wer sind denn die, die da fischen? Welche Würmer reizen mich am meisten?

Das Versprechen ewiger Liebe...

Die Vorstellung, vorbehaltlos akzeptiert zu sein...

Die Anerkennung und Wertschätzung von außen...

Der Wunsch, als erster etwas entdeckt zu haben, das noch niemand zuvor gesehen hat...

Die Eitelkeit, andere bei weitem zu übertreffen...

Der schmeichelnde Blick, der mich so sieht, wie ich sein möchte...

Das Versprechen, daß jemand bedingungslos an meiner Seite bleibt...

Und so viel anderes...

So viel!

Mir wurde bewußt, daß ich mit der Zeit und der wach-
senden Erfahrung und Reife lernte, die Köder, die ich ge-
schluckt hatte, immer schneller auszuspucken. Aber was
war mit den Wunden?

»Und die Wunden?« fragte ich Jorge. »Was ist mit den
Wunden? Du bringst mir bei, die toten, grauen Würmer
links liegenzulassen. Du zeigst mir ständig, was Plastik-
fliegen sind, damit ich mich nicht an solche Köder hänge,
aber ich glaube, du lehrst mich nicht, wie ich Verletzun-
gen vermeiden kann. Offenbar ist es das Schicksal solch
leichtgläubiger Menschen wie mir, am Ende voller Wunden durchs Leben zu gehen, die von den Ködern stammen,
auf die wir angebissen haben, oder von jenen, die zu groß
waren, als daß wir sie überhaupt hätten schlucken können.
Ich will mir jedenfalls nicht mehr soviel Schmerz zufügen,
Dicker. Ich will nicht länger anderen die Entscheidung
darüber überlassen, ob sie mir weh tun oder mir was Gutes
tun wollen. Ich will nicht...«

»Das ist der Preis, Demian, das ist der Preis. Erinnerst
du dich an die Rose vom *Kleinen Prinzen?*«

»Ja... Ich weiß schon, was du sagen willst: Man muß
ein paar Raupen aushalten, wenn man die Schmetterlinge
kennenlernen will.«

»Genau«, bestätigte Jorge.

Ich blieb eine Weile still sitzen, völlig überschwemmt
von einem Gefühl aus Schmerz, Empörung, Resignation
und Ohnmacht.

Danach meldete ich mich zurück.

»Ich glaube immer noch, daß ein Lügner viel mehr Nutzen als Nachteile hat.«

»Vielleicht, vielleicht aber auch nicht«, sagte der Dicke. »Eine Lüge hat auch ihre Unannehmlichkeiten. Das schlimmste an der Lüge ist jedenfalls, daß sie *niemandem dient.* Früher oder später fliegt jede Lüge auf, und all das scheinbar Erreichte verflüchtigt sich wie der Nebel bei Sonnenaufgang. Und mehr noch, manchmal sorgt das Leben für ausgleichende Gerechtigkeit, und dann wendet sich die Lüge gegen ihren Urheber.«

Jorge schloß die Augen und suchte in seinem Gedächtnis.

»Jetzt kommt eine Geschichte«, vermutete ich.

»Sie kommt…«

Als Lien-Tzu starb, hinterließ er seine Frau Zumi, seinen ältesten Sohn Ling und die beiden Kleinen in bitterer Armut. Zu Lebzeiten hatte der Familienvater von Sonnenaufgang bis Sonnenuntergang auf den Reisplantagen des Herrn Cheng gearbeitet.

Den größten Teil seines Lohns erhielt er in Form von Reis, und nur ein paar wenige Münzen wurden ihm ausgezahlt, die kaum für die schmalen Bedürfnisse der Familie ausreichten, nachdem erst einmal die Lehrer und Schulhefte für Ling und seine Brüder bezahlt waren.

Am seinem Sterbetag hatte Lien-Tzu wie jeden Tag im Morgengrauen das Haus verlassen. Auf dem Weg zur Plantage hörte er die Hilferufe eines alten Mannes, den die Srömung des Flusses mitgerissen hatte.

Lien-Tzu erkannte ihn. Es war der alte Cheng, der Besitzer der Plantage, auf der er arbeitete.

Lien-Tzu war nie ein guter Schwimmer gewesen, und das mußte man allein schon sein, um es zu wagen, ins Wasser zu gehen, geschweige denn dafür, einen alten Mann vor dem Ertrinken zu retten.

Er sah sich um, aber zu dieser Stunde kam niemand des Weges. Und losrennen, um Hilfe zu holen, hätte sicherlich mehr als eine halbe Stunde gedauert...

Kurz entschlossen holte Lien-Tzu tief Luft und warf sich in die Fluten.

Kaum war er beim Alten angelangt, zog die Strömung auch ihn hinab.

In inniger Umarmung tauchten die leblosen Körper der beiden einige Kilometer weiter unten am Flußufer auf...

Vielleicht weil die Söhne des Alten Lien-Tzu für den Tod ihres Vaters verantwortlich machten, vielleicht aber auch, weil der kleine Ling noch zu jung war oder aber weil – wie sie sagten – es nicht genügend Arbeit auf den Reisfeldern gab, Tatsache war, daß die Söhne des Verstorbenen Ling das Recht verweigerten, den Arbeitsplatz seines Vaters einzunehmen.

Der junge Ling bestand darauf.

Zunächst bewies er, daß er mit seinen dreizehn Jahren bereits alt genug zum Arbeiten war. Dann brachte er vor, daß sein Vater ihm diese Arbeit vererbt hatte. Anschließend pries er seine Einsatzbereitschaft und sein handwerkliches Geschick. Nachdem all dies nicht die erhoffte Wirkung hatte, flehte Ling schließlich, man solle ihn, angesichts der finanziellen Not der Familie, einstellen.

Kein Argument war gut genug, und der Junge wurde aufgefordert, die Plantage zu verlassen.

Ling war erbost und erhob die Stimme, um ihnen das Opfer seines Vaters ins Gedächtnis zu rufen, er sprach von Ausbeutung, von Rechten, Forderungen und Verpflichtung...

Nach einem Handgemenge wurde Ling gewaltsam des Ortes verwiesen und auf die staubige Straße gesetzt.

Seitdem aß die Familie nur dann, wenn die Tagelöhnerarbeit, die Ling gelegentlich bekam, etwas abwarf oder die Mutter sich opferte und für andere Leute Wäsche wusch und ausbesserte.

Eines Tages verließ Ling, wie jeden Tag, die Plantage, wo er, wie jeden Tag, um Arbeit gebeten hatte und man ihm, wie jeden Tag, mitgeteilt hatte, daß man nichts für ihn habe.

Er ging mit hängendem Kopf und blickte auf den Boden und seine zerlumpten Sandalen.

Den Steinen auf dem Weg versetzte er Fußtritte, um so seinen Schmerz zu betäuben.

Da war er plötzlich gegen etwas getreten, das ein seltsames Geräusch von sich gab. Seine Augen suchten nach dem fortgeschubsten Gegenstand...

Es war kein Stein, sondern ein verstaubtes Geldsäckchen, das mit einem Band zugeschnürt war.

Nochmals trat der Junge mit dem Fuß dagegen.

Es war nicht leer. Es machte ein wunderbares Geräusch, wie es so über den Boden kugelte.

Eine ganze Weile trat Ling so das Säckchen vor sich her und ergötzte sich am Klang, den es machte. Schließlich hob er es auf und öffnete es.

In dem Beutelchen befand sich eine große Menge Silbermünzen.

Haufenweise Münzen! Mehr, als er jemals im Leben gesehen hatte.

Er zählte sie.

Es waren fünfzehn. Fünfzehn wunderhübsche, neue glänzende Münzen.

Es waren seine.

Er hatte sie gefunden, dort auf dem Boden.

Er hatte sie eine halbe Stunde lang durch die Gegend getreten.

Er hatte das Säckchen geöffnet.

Kein Zweifel, sie gehörten ihm...

Endlich würde seine Mutter aufhören können zu arbeiten, seine Brüder durften weiter zur Schule gehen, und sie alle konnten wieder soviel essen, wie sie wollten, jeden Tag.

Er rannte ins Dorf, um ein paar Einkäufe zu machen.

Beladen mit lauter Lebensmitteln, Spielsachen für die Brüder, Stoffen und zwei schönen indischen Kleidern für seine Mutter, traf er zu Hause ein.

Seine Ankunft war ein Freudenfest. Alle hatten Hunger, und niemand fragte, woher das Essen gekommen war, bis alles aufgegessen war.

Nach dem Abendessen verteilte Ling die Geschenke, und als die Brüder vom Spielen müde und zu Bett gegangen waren, winkte Zumi Ling zu sich.

Ling wußte, was seine Mutter von ihm wollte.

»Glaub nicht, daß ich es gestohlen habe«, sagte Ling.

»Niemand wird dir all das umsonst gegeben haben...«, sagte seine Mutter.

»Nein, man bekommt nichts geschenkt«, gab Ling zu. «Ich habe alles gekauft. Ich habe es gekauft.«

»Und woher hast du das Geld genommen, Ling?«

Und der Junge erzählte seiner Mutter, wie er das Geldsäckchen gefunden hatte.

»Mein Gott, Ling, das Geld gehört nicht dir«, sagte Zumi.

»Wie soll es nicht mir gehören?« protestierte Ling. »Ich habe es gefunden.«

»Mein Sohn, wenn du es gefunden hast, hat es jemand anders verloren. Und derjenige, der es verloren hat, ist der wahre Besitzer des Geldes«, sprach seine Mutter.

»Nein«, sagte Ling. »Derjenige, der es verloren hat, hat es verloren, und der, der es gefunden hat, hat es gefunden. Ich habe es gefunden. Und wenn es keinen Besitzer hat, ist es meins.«

»Gut, mein Sohn«, fuhr seine Mutter fort. »Wenn es keinen Besitzer hat, so ist es deins. Aber wenn es einen Besitzer gibt, mußt du ihm sein Eigentum zurückgeben.«

»Nein, Mutter.«

»Doch, Ling. Erinnere dich daran, was dein Vater gesagt hätte.«

Ling senkte den Kopf und stimmte unwillig zu.

»Und was ist mit dem Geld, das ich schon ausgegeben habe?« fragte er.

»Wie viele Münzen hast du denn ausgegeben?«

»Zwei.«

»Gut, wir werden sehen, wie wir sie zurückzahlen können«, sagte Zumi. »Nun geh ins Dorf und frag die Leute, wer einen Geldbeutel verloren hat. Beginne dort, wo du ihn gefunden hast.«

Diesmal verließ Ling das Haus mit gesenktem Kopf und starrte beim Gehen auf seine zerschlissenen Sandalen. Auf der Plantage angekommen, fragte er den Verwalter, ob nicht jemand etwas verloren habe. Dem Verwalter war kein solcher Fall bekannt, er versprach ihm aber, er gebe ihm Bescheid.

Währenddessen kam der älteste Sohn des alten Cheng und jetziger Besitzer der Reisfelder auf ihn zu.

»Du hast meinen Geldbeutel genommen?« fragte er in anklägerischem Ton.

»Nein, mein Herr, ich habe ihn auf der Straße gefunden«, antwortete Ling.

»Gib ihn mir zurück, aber sofort!« schrie Cheng.

Der Junge kramte den Sack aus seinen Kleidern hervor und händigte ihn dem anderen aus. Der Mann leerte den Beutel in seine Hand und begann zu zählen.

Der junge Ling beeilte sich zu sagen: »Sie werden sehen, daß bloß zwei Münzen fehlen, Herr Cheng. Ich werde sparen, um Ihnen das Geld zurückzuzahlen, oder zum Ausgleich umsonst für Sie arbeiten.«

»Dreizehn! Dreizehn!« brüllte der. »Und wo sind die fehlenden Münzen?«

»Das habe ich Ihnen doch schon gesagt, mein Herr«, begann der Junge. »Ich wußte nicht, daß das Ihr Beutel war. Aber ich werde das Geld zurückzahlen...«

»Dieb!« unterbrach ihn der Mann. »Dieb! Ich werde dich lehren, Dinge an dich zu nehmen, die nicht dir gehören« – und laut schimpfend rannte er auf die Straße. »Ich werde es dich lehren... Eine Lehre werd ich dir erteilen!«

Der Junge ging nach Hause zurück. Er wußte nicht, was größer war, seine Wut oder die Verzweiflung.

Bei seiner Rückkehr erzählte er seiner Mutter Zumi, was geschehen war, und sie tröstete ihn.

Sie versprach ihm, daß sie mit dem jungen Herrn Cheng sprechen werde, um die Sache zu klären.

Doch bereits am folgenden Tag traf ein Gesandter des Richters ein, mit einer Vorladung für Zumi und Ling, wegen des Diebstahls von siebzehn Münzen aus einem Beutel.

Siebzehn Münzen!

Vor dem Richter erklärte der Sohn des Alten unter Eid, daß ein Lederbeutel von seinem Schreibtisch verschwunden war.

»Es war am selben Tag, als Ling da war und um Arbeit vorsprach«, erklärte Cheng. »Und am nächsten Tag taucht dieser Langfinger wieder auf, erklärt, er habe den Beutel ›gefunden‹, und fragt, ob ihn jemand ›verloren‹ habe. Wie abgebrüht!«

»Fahren Sie fort, Herr Cheng«, sagte der Richter.

»Natürlich habe ich ihm gesagt, daß es sich bei dem Beutel um meinen handelt, und als er ihn mir zurückgab, überprüfte ich sogleich den Inhalt und fand meinen Verdacht bestätigt: Es fehlten Münzen. Siebzehn Silbermünzen!«

Der Richter hörte der Erzählung aufmerksam zu und richtete seinen Blick anschließend auf den Jungen, der vor lauter Scham angesichts der Situation kaum zu sprechen wagte.

»Was möchtest du uns sagen, Ling? Die Anschuldigung, die hier gegen dich vorliegt, ist sehr schwerwiegend«, sagte der Richter.

»Herr Richter, ich habe nichts gestohlen. Ich habe diesen Beutel auf der Straße gefunden. Ich wußte nicht, daß sein Besitzer Herr Cheng ist. Es stimmt, ich habe diesen Beutel geöffnet, und ja, ich habe auch einen Teil des Geldes für Essen und Spielsachen für meine Brüder ausgegeben, aber es waren bloß zwei Münzen und nicht siebzehn«, schluchzte der Junge. »Wie hätte ich siebzehn Münzen aus dem Beutel nehmen können, wo doch bloß fünfzehn darin waren, als ich ihn fand? Ich habe bloß zwei Münzen genommen, Herr Richter, bloß zwei.«

»Wir werden schon noch sehen«, sagte der Richter. »Wie viele Münzen waren in dem Beutel, als der Junge ihn zurückbrachte?«

»Dreizehn«, antwortete der Kläger.

»Dreizehn«, bestätigte Ling.

»Und wie viele Münzen waren in dem Beutel zu dem Zeitpunkt, als Sie ihn verloren?« fragte der Richter.

»Dreißig, hohes Gericht«, antwortete der Mann.

»Nein, nein«, unterbrach ihn Ling. »Es waren nur fünfzehn Münzen darin. Ich schwöre es!«

»Würden Sie beschwören«, fragte der Richter den Reisgutbesitzer, »daß der Beutel dreißig Silbermünzen enthielt, als er sich auf Ihrem Schreibtisch befand?«

»Selbstverständlich, Herr Richter«, bekräftigte er. »Ich schwöre es!«

Zumi hob schüchtern die Hand, und der Richter gab ihr die Erlaubnis zu sprechen.

»Herr Richter«, sagte Zumi, »mein Sohn ist noch ein Kind, und natürlich gestehe ich ein, daß er in dieser Situation mehr als einen Fehler begangen hat. Dennoch kann ich Ihnen eins versichern: Ling lügt nicht. Wenn er sagt, daß er bloß zwei Münzen ausgegeben hat, dann ist dies die Wahrheit. Und wenn er sagt, daß der Beutel bloß fünfzehn Münzen enthielt, als er ihn fand, dann ist auch dies die Wahrheit. Vielleicht, Herr Richter, vielleicht hat jemand den Beutel gefunden, bevor...«

»Moment einmal, gute Frau«, unterbrach der Richter. »Es ist meine Aufgabe und nicht die Ihre, herauszufinden, was geschehen ist, und für Gerechtigkeit zu sorgen. Sie wollten sprechen, und dem ist stattgegeben worden. Nun setzen Sie sich bitte und warten Sie auf mein Urteil.«

»Genau, hohes Gericht, das Urteil. Wir verlangen Gerechtigkeit«, sagte der Kläger.

Der Richter gab seinem Beisitzer ein Zeichen, den Gong zu schlagen. Das bedeutete, das Gericht werde nun sein Urteil verkünden.

»Kläger und Beklagte: Obwohl die Situation am Anfang noch verworren war, hat sie nun an Klarheit gewonnen«, begann der Richter. »Es gibt keinen Grund, an den Worten des Herrn Cheng zu zweifeln, wenn er schwört, einen Beutel mit dreißig Silbermünzen verloren zu haben.«

Der Mann lächelte mit einem boshaften Blick auf Ling und Zumi.

»Dennoch, der junge Ling versichert, einen Beutel mit fünfzehn Münzen gefunden zu haben«, fuhr der Richter fort, »und genausowenig gibt es einen Grund, an seinen Worten zu zweifeln…«

Schweigen machte sich im Gerichtssaal breit, und der Richter sprach weiter.

»Deshalb hält es das Gericht für erwiesen, daß es sich bei dem gefundenen und zurückerstatteten Beutel *nicht* um den verlorenen Beutel des Herrn Cheng handelt, und deshalb gibt es bei der Familie Ling-Tzu auch nichts einzuklagen. Wir nehmen aber die Suchmeldung des Klägers zu den Akten, dem jeder Beutel auszuhändigen ist, der in den nächsten Tagen gefunden oder abgegeben wird und dessen Inhalt aus dreißig Silbermünzen besteht.«

Der Richter lächelte und traf auf die dankbaren Augen Lings.

»Und was diesen anderen Beutel angeht, junger Mann…«

»Ja, hohes Gericht«, stammelte der Junge. »Ich bin mir meiner Verantwortung bewußt und bereit, für meinen Fehler zu bezahlen.«

»Schweig! Was den Beutel mit den fünfzehn Münzen angeht, so stelle ich fest, daß ihn bislang niemand für sich beansprucht hat und daß es unter diesen Umständen«, sagte er und sah aus den Augenwinkeln Herrn Cheng an, »auch weiterhin sehr unwahrscheinlich ist, daß ihn jemand für sich beansprucht. Deshalb bin ich der Auffassung, daß der Beutel zum Besitz dessen erklärt werden kann, der ihn gefunden hat. Und da du ihn gefunden hast, ist es deiner!«

»Aber hohes Gericht...«, warf Cheng ein.

»Hohes Gericht...«, hob auch Ling an.

»Herr Richter...«, wollte Zumi sagen.

»Ruhe!« verordnete der Richter. »Die Sitzung ist geschlossen! Bitte räumen Sie den Saal.«

Der Richter erhob sich und eilte aus dem Gerichtssaal, während der Beisitzer ein weiteres Mal den Gong ertönen ließ.

DER WAHRHEITSLADEN

Sag mal, Jorge. Jeder hat doch irgendwann einmal das Gefühl, daß dieser oder jener dringend eine Therapie machen sollte. Ich weiß, du bist da anderer Meinung und hältst nicht viel von irgendwelchen aufgezwungenen Therapien. Aber ich frage mich, ob nicht jeder davon profitieren könnte, eine Therapie zu machen.«

»Ja.«

»Wirklich jeder?«

»Sagen wir mal, für jeden, der profitieren will, kann eine Therapie nützlich sein.«

»Aber wie könnte jemand nicht davon profitieren wollen?«

»Anthony de Mello hat eine wunderbare Geschichte geschrieben, die uns bei der Suche nach einer Antwort auf die Sprünge helfen könnte.«

EIN MANN DURCHSTREIFTE die kleinen Gassen der Provinzstadt. Er hatte keine Eile, und deshalb verweilte er einen Moment vor jedem Schaufenster, vor jedem Laden, auf jedem Platz. Als er um eine Ecke bog, befand er sich plötzlich vor einem bescheidenen Ladenlokal mit weißer Markise. Interessiert wandte er sich dem Schaufenster zu, näherte sich der Fensterscheibe, um durch das dunkle Glas zu blicken. Drinnen sah er nichts als einen Notenständer, und darauf eine kleine handgeschriebene Karte, auf der stand: *Wahrheitsladen*

Der Mann war überrascht. Er hielt es für einen Phan⁄tasienamen, konnte sich aber nicht vorstellen, was man dort verkaufte.

Er betrat den Laden, ging auf das Fräulein zu, das sich hinter dem ersten Verkaufstisch befand, und fragte: »Entschuldigen Sie, ist das der Wahrheitsladen?«

»Ja, mein Herr. Welche Art Wahrheit suchen Sie? Die halbe Wahrheit, die relative Wahrheit, die statisti⁄sche Wahrheit oder die ganze Wahrheit?«

Hier wurde also mit der Wahrheit gehandelt. Er hätte sich nie träumen lassen, daß das möglich wäre. Irgendwo hinzugehen und Wahrheit einzukaufen war wunderbar.

»Die ganze Wahrheit«, antwortete der Mann ohne Zögern.

›Ich bin all die Lügen und Falschheiten leid‹, dachte er. ›Ich habe die Verallgemeinerungen und Rechtferti⁄gungen satt, die Täuschungen und den Betrug.‹

»Die reine Wahrheit!« bekräftigte er.

»Sehr wohl, mein Herr. Wenn Sie mir bitte folgen wollen.«

Das Fräulein führte den Kunden in einen anderen Bereich, verwies ihn an einen Verkäufer mit mürrischer Miene und sagte: »Dieser Herr wird Sie bedienen.«

Der Verkäufer trat auf ihn zu und wartete darauf, daß der Kunde seinen Wunsch äußerte.

»Ich möchte die ganze Wahrheit kaufen.«

»Aha. Verzeihen Sie, mein Herr, aber kennen Sie den Preis?«

»Nein. Wie teuer ist sie?« fragte er gewohnheitsgemäß, obwohl er bereits wußte, daß er jedweden Preis für die ganze Wahrheit zahlen würde.

»Wenn Sie sie gleich mitnehmen«, sagte der Verkäufer, *»ist der Preis, daß sie nie wieder in Frieden leben werden.«*

Ein Schauer lief dem Mann über den Rücken. Nie hätte er gedacht, daß der Preis so hoch sein könnte.

»Vie... Vielen Dank... Entschuldigen Sie...«, stotterte er.

Er machte kehrt und verließ das Geschäft mit gesenktem Blick.

Er war ein bißchen traurig, als ihm bewußt wurde, daß er immer noch nicht bereit war für die absolute Wahrheit, daß er immer noch ein paar Lügen brauchte, bei denen er sich erholen konnte, ein paar Mythen und Schönfärbereien, in die er sich flüchten konnte, ein paar Ausreden, um sich nicht mit sich selbst konfrontieren zu müssen...

›Vielleicht ein andermal‹, dachte er.

»Demian, was für mich von Nutzen ist, ist es nicht notwendigerweise auch für andere. Es wäre möglich, aber es kann auch sein, daß jemand glaubt, der Preis für eine gewisse Leistung sei zu hoch. Jeder darf selbst entscheiden, welchen Preis er im Austausch für das zahlen will, was er erhält, und es ist nur logisch, daß jeder auch selbst entscheidet, wann er das annimmt, was die Welt ihm anbietet, ob es nun die Wahrheit ist oder irgendeine andere ›Leistung‹.«

Ich wußte nicht, was ich sagen sollte.

Und Jorge fügte hinzu:

»Es gibt ein altes arabisches Sprichwort, das besagt:

Um eine Ladung Halva abzuladen, muß man vor allen Dingen genügend Behälter haben, in denen man das Halva aufbewahren kann.

Mit der Weisheit und der Wahrheit verhält es sich genauso wie mit dem Halva.«

FRAGEN

Die Sitzung hatte wieder so unerträglich begonnen wie jedesmal, wenn ich ins Sprechzimmer kam und nicht wußte, worüber ich reden und worüber ich nicht reden wollte. Oder wenn ich wußte, worüber ich sprechen wollte, es aber nicht tat. Oder wenn ich das Gefühl hatte, besser nicht gekommen zu sein, aber doch da war. Oder wenn auch Jorge keine Lust zu sprechen hatte und mir nicht half. Oder wenn er Lust hatte zu helfen, aber nichts sagte...

Das waren die schweigsamen Sitzungen. Bedrückende, quälende Sitzungen.

»Gestern habe ich etwas geschrieben«, sagte ich dem Dikken schließlich.

»Ja...?«

›Knappe Antwort‹, dachte ich.

»Ja«, antwortete ich, noch knapper.

»Und...?« fragte er.

›Ich rege mich schon wieder auf‹, dachte ich.

»Es heißt *Fragen,* aber es sind keine Fragen.«

»Und was hast du mit diesen Fragen vor, die keine sind?«

»Ich würde sie gern mit dir hier lesen. Ich habe nicht

noch mal draufgeschaut, seit ich sie gestern nacht notiert habe. Ich weiß, daß ich keine Antworten darauf suche, du brauchst also nichts dazu zu sagen. Ich möchte nur, daß du zuhörst. Ich meine, es sind Gedanken, keine Fragen.«

»Ich verstehe«, sagte der Dicke. Und stellte sich aufs Zuhören ein.

SCHWIERIG, ODER?

Fast unmöglich?

Oder vielleicht... ganz und gar unmöglich?

Wie lebt es sich, wenn man anders ist?

Welchen Sinn hat es, sich ein Leben lang zu quälen?

Lebt es sich besser mit aufgeräumtem Kopf?

Wenn dem nicht so wäre, warum arbeite ich dann an mir selbst?

Weshalb mache ich eine Therapie?

Welche Funktion hat der Therapeut? Die Menschen umzupolen, die zu ihm kommen, weil sie leiden?

Und ich, wonach suche ich?

Tausche ich nur ein Leid gegen ein anderes ein und habe dabei nicht einmal den Trost, es mit anderen teilen zu können?

Was ist die Psychotherapie? Eine Frustrationsfabrik für die »Auserwählten«?

So etwas wie eine sadistische Sekte von Erfindern einer ausgeklügelten, exklusiven Foltermethode?

Wer sagt denn, daß es besser ist, wahnsinnig unter der

Realität zu leiden, als ahnungslos in einer Phantasiewelt zu schwelgen?

Wozu dient einem das vollständige Bewußtsein um die Einsamkeit und den eigenen Lebenskompromiß?

Welchen Vorteil hat es, bitte schön, sich daran zu gewöhnen, von niemandem irgend etwas zu erwarten?

Wenn die greifbare Welt Müll ist, wenn die echten Menschen Scheiße sind, wenn das wahre Leben fades Zeug ist, wäre es dann nicht eine Wohltat, sich mit Exkrementen zu beschmieren und zwischen diesem Abfall der Menschheit herumzuliegen?

Haben die Religionen nicht vielleicht recht, die einem jenseitigen Trost anbieten für das, was man hier nicht erreichen kann?

Haben sie nicht auch dann recht, wenn sie all die Arbeit an einen allmächtigen Gott delegieren, der sich um uns kümmert, wenn wir artig sind?

Ist es nicht viel einfacher, brav zu sein, als man selbst zu sein?

Ist es nicht manchmal viel nützlicher und ehrlicher, das Konzept von Gut und Schlecht zu übernehmen, das alle für gegeben erachten?

Oder vielleicht sollte man es wie alle machen, die zumindest so tun, als wären sie damit absolut einverstanden?

Haben nicht doch die Hexen, Zauberer, Heiler und Magier recht, wenn sie uns kraft unseres Glaubens heilen wollen?

Sind nicht vielleicht jene im Recht, die auf die unbe-

grenzte Fähigkeit zählen, mittels Verstandes die vollständige Kontrolle über alle äußeren Gegebenheiten oder Situationen ausüben zu können?

Ist es nicht in Wahrheit so, daß nichts außerhalb meiner selbst existiert und daß mein Leben nur ein kleiner
Albtraum von Dingen, Personen und Begebenheiten ist,
die meine Phantasie hervorbringt?

Wer mag schon glauben, daß das, was geschieht, die
einzige Möglichkeit ist?

Und wenn es so wäre, worin liegt der Vorteil, mehr
über diese Möglichkeit zu wissen?

Welche Verpflichtung hat jemand anderes, mich zu
verstehen?

Welche Verpflichtung hat er, mich zu akzeptieren?

Was verpflichtet ihn, mir zuzuhören?

Was verpflichtet ihn, mich anzuerkennen?

Was verpflichtet ihn dazu, mich nicht zu belügen?

Was verpflichtet ihn, mich wahrzunehmen?

Was verpflichtet ihn dazu, mich zu lieben, wie ich geliebt sein möchte?

Was verpflichtet ihn, mich dann zu lieben, wenn ich
geliebt werden möchte?

Welche Verpflichtung hat, wer auch immer, mich zu
lieben?

Was verpflichtet ihn, mich zu respektieren?

Was verpflichtet den anderen, sich bewußt zu machen, daß es mich gibt?

Und wenn niemand sich bewußt macht, daß es mich
gibt? Warum existiere ich dann?

Und wenn mein Leben ohne andere keinen Sinn ergibt, warum dann Himmel und Hölle in Bewegung setzen, um überhaupt ein Stückchen Sinn zu erhaschen?

Und wenn der Weg von der Wiege bis zur Bahre ein
einsamer ist, warum machen wir uns vor, wir könnten
Begleitung finden?

Der Dicke räusperte sich...

»Ziemlich düstere Nacht, letzte Nacht, heh?«

»Ja...«, sagte ich. »Schwarz, rabenschwarz.«

Mein Therapeut streckte die Arme aus und bedeutete
mir, mich auf seinen Schoß zu setzen.

Als ich es tat, umarmte er mich, wie ich mir vorstellte,
daß er ein Kind umarmt.

Ich spürte die Wärme und die Liebe des Dicken und
blieb für den ganzen Rest der Sitzung still und nachdenk-
lich dort sitzen.

DER DATTELPALMENPFLANZER

Jorge, alles, was du mir beibringst, scheint so klar, und nichts täte ich lieber, als daran zu glauben, daß man so leben kann... In Wahrheit glaube ich allerdings, daß dein Lebensmodell nichts weiter ist als ein hübsches theoretisches Konstrukt, das in der Alltagswirklichkeit gar nicht anwendbar ist.«

»Das glaube ich nicht...«

»Natürlich glaubst du das nicht, für dich muß die Sache ja auch wesentlich einfacher sein als für die anderen. Du hast um dich herum eine ganze Lebensform geschaffen, und alles ist jetzt stimmig. Aber ich und die meisten anderen, wir leben in der normalen Alltagswelt. Wir können gar nicht alles umsetzen, um von unseren neuen Erkenntnissen zu profitieren.«

»Eigentlich komme ich aus der gleichen realen Welt wie du, Demian. Ich lebe auf demselben Alltagsplaneten, auf dem wir alle leben, und ich lebe mit denselben normalen Durchschnittsleuten zusammen wie du. Ich gebe zu, daß ich es ein bißchen besser habe als die Mehrheit der Leute, die ich kenne, aber ich möchte mal zwei Dinge klarstellen: Das erste ist, daß der Preis, den ich dafür gezahlt habe, nicht unerheblich war. Sich dieses Drumherum zu gestalten, wie du es nennst, hat mich viel Kraft und Mühe gekostet, viel Schmerz, und ich mußte einiges dafür aufgeben. Das zweite ist, daß es sich um einen Prozeß handelt. Ich meine, es brauchte seine Zeit, bis ich das geändert hatte, was ich ändern mußte, bis ich aufrechterhalten hatte, was mir bewahrenswert erschien, und bis ich die Wege gefunden hatte, die ich entdecken mußte. Das geschah nicht von selbst, und auch nicht von heute auf morgen.«

»Kann ich mir vorstellen. Aber du wußtest wenigstens, daß am Ende die Belohnung stehen würde, von der du heute zehrst.«

»Nein, so war es nicht. Und das ist eine weitere Fehlannahme deiner Theorie. Es gab nie eine Garantie auf irgendeine Belohnung. Eher ist der ganze Weg, den ich bis hierher gegangen bin, nichts weiter als die Investition für ein Ergebnis, das in Wahrheit längst noch nicht erreicht ist.«

»Wie, noch nicht erreicht ist?«

»Es bleibt noch viel zu tun, Demian. Und ich glaube auch nicht, daß es mir in meinem Leben, und werde ich auch noch so alt, gelingen wird, jene Fülle voll auskosten zu können. Davon profitieren zu können, daß es keinerlei Erwartungen gibt, die geistige Haltung genießen zu können, daß die Dinge nun mal so sind, wie sie sind...«

»Willst du damit sagen, du machst dir all die Mühe, obwohl du davon überzeugt bist, daß du niemals richtig Ernte einfahren wirst?«

»Genauso ist es.«

»Du bist verrückt.«

»Das stimmt. Aber zu deinem Glück bin ich ein Verrückter, der Geschichten erzählt, und jetzt ist genau der Zeitpunkt, dir eine zu erzählen.«

IN EINER OASE, ganz versteckt in einer Wüstenland-schaft, weit entfernt, kniete der alte Eliahu neben ein paar Dattelpalmen.

Sein Nachbar, der wohlhabende Kaufmann Hakim, war gekommen, um seine Kamele zu tränken, und sah den schwitzenden Eliahu im Sand graben.

»Wie geht es dir, Alterchen? Friede sei mit dir.«

»Ebenso mit dir«, antwortete Eliahu, ohne von seiner Arbeit aufzuschauen.

»Was tust du hier, bei der Hitze, mit dem Spaten in der Hand?«

»Ich säe«, antwortete der Alte.

»Was säst du denn, Eliahu?«

»Datteln«, antwortete dieser und zeigte auf den ihn umgebenden Dattelhain.

»Datteln«, wiederholte der Ankömmling und schloß die Augen wie jemand, der verständnisvoll auch noch der größten Dummheit lauscht. »Die Hitze hat dir das Hirn verdörrt, mein Freund. Laß die Arbeit Arbeit sein und komm mit ins Café, da trinken wir ein Gläschen Schnaps.«

»Nein, ich muß erst meine Aussaat beenden. Danach können wir trinken, wenn du willst...«

»Sag, mein Freund. Wie alt bist du eigentlich?«

»Ich weiß es nicht. Sechzig, siebzig, vielleicht acht-zig... Keine Ahnung. Ich habe es vergessen. Aber es ist ja auch völlig unwichtig.«

»Sieh mal, lieber Freund. Dattelpalmen brauchen fünfzig Jahre, bis sie groß sind, und nur als ausgewachsene Palmen bringen sie Früchte hervor. Ich wünsch dir nur das Beste, wie du weißt. Hoffentlich wirst du hundert Jahre alt, aber sei dir im klaren, daß du wohl kaum die Ernte deiner Saat einholen wirst. Laß es also sein und komm mit.«

»Schau mal, Hakim. Ich habe die Datteln gegessen, die ein anderer gesät hat, jemand, der davon träumte, diese Datteln zu essen. Ich säe heute, damit andere morgen die Datteln ernten können, die ich pflanze... Und wenn es auch nur zum Dank an diesen Unbekannten wäre, lohnte es sich, meine Arbeit hier zu Ende zu führen.«

»Du hast mir heute eine große Lektion erteilt, Eliahu. Laß mich dir diese mit einem Sack Münzen begleichen«, sagte es und drückte dem Alten einen Lederbeutel in die Hand.

»Ich danke dir für dein Geld, mein Freund. Du siehst ja, manchmal geschieht so etwas: Du sagst mir voraus, ich werde niemals die Ernte dessen einfahren, was ich gesät habe, und das scheint auf der Hand zu liegen. Und trotzdem, stell dir vor, noch bevor ich aufgehört habe zu säen, habe ich bereits einen Sack Münzen geerntet und den Dank eines Freundes.«

»Deine Weisheit erstaunt mich, Alter. Das ist die zweite große Lektion, die du mir heute erteilst, und vielleicht ist sie noch wichtiger als die erste. Laß mich dir auch diese Lehre mit einem Geldbeutel bezahlen.«

»Und manchmal geschieht das Folgende:«, fuhr der

Alte fort und betrachtete die beiden Geldbeutel in seiner Hand. »Ich säe, um nicht zu ernten, und noch bevor ich mit meiner Aussaat fertig bin, habe ich nicht nur einmal, sondern zweimal geerntet.«

»Nun ist's gut, Alterchen. Sprich nicht weiter. Wenn du mich weiter Dinge lehrst, wird mein Vermögen wohl kaum ausreichen, um deine Weisheit aufzuwiegen...«

»Verstehst du, Demian?« fragte mich der Dicke.

»Mehr als das. Mir wird was klar!« antwortete ich.

SELBSTABLEHNUNG

Am Ende dieser Sitzung überreichte mir der Dicke einen verschlossenen Umschlag, auf dem »Für Demian« stand.

»Was soll ich damit?« fragte ich.

»Das ist für dich. Ich habe es vor ein paar Monaten für dich geschrieben.«

»Vor ein paar Monaten?«

»Ja. Um ehrlich zu sein, ist es mir wenige Wochen nach deinem Therapiebeginn eingefallen. Ich las ein Gedicht des amerikanischen Autors Leo Booth. Sein Text begann mit dem ersten Absatz, den du jetzt lesen wirst. Und bei der Lektüre erschien mir dein Bild vor Augen, und deine Worte aus den ersten Sitzungen klangen mir im Ohr. Also setzte ich mich hin und schrieb dies auf.«

»Und warum gibst du es mir gerade jetzt?«

»Weil ich glaube, daß du es vorher nicht verstanden hättest. Lies...«

ICH WAR VOM ersten Moment an da,
im Adrenalin,
das durch die Adern deiner Eltern floß,
als sie sich liebten, um dich zu empfangen,

und später in der Flüssigkeit,
die deine Mutter in dein kleines Herz pumpte,
als du noch nichts weiter als ein Parasit warst.

Ich kam zu dir, noch bevor du sprechen konntest,
bevor du auch nur irgend etwas verstehen konntest
von dem, was die anderen dir sagten.
Ich war schon da, als du ungeschickt
deine ersten Schritte unternahmst
vor den vergnügt belustigten Augen aller.
Als du unbeschützt und ausgesetzt warst,
als du verletzbar und bedürftig warst.

Ich trat in dein Leben
wie ein magischer Gedanke;
in meiner Begleitung waren...
der Aberglaube und die Beschwörungsformeln,
die Fetische und Amulette...
die guten Manieren, die Gewohnheiten, die Tradition...
deine Lehrer, deine Geschwister und deine Freunde...

Bevor du wußtest, daß es mich gibt,
teilte ich deine Seele in eine helle und in eine dunkle
    Welt.
Eine Welt mit dem, was gut, und eine mit dem, was nicht
    gut ist.

Ich brachte dir das Schamgefühl,
ich zeigte dir all das Schadhafte an dir,
das Häßliche,
das Dumme,
das Unangenehme.
Ich klebte dir das Etikett »anders« auf,
ich sagte dir zum ersten Mal ins Ohr,
daß etwas ganz und gar nicht gut lief bei dir.

Ich existierte schon vor der Bewußtwerdung,
schon vor der Schuld,
vor der Moral,
mich gibt es seit Beginn der Zeitrechnung,
seitdem Adam sich für seinen Körper schämte,
als er dessen Nacktheit bemerkte...
und sie bedeckte!

Ich bin der ungeliebte Gast,
der unerwünschte Besucher,
und trotzdem
bin ich der erste, der kommt, und der letzte, der geht.
Ich bin mit der Zeit mächtig geworden,
indem ich die Ratschläge deiner Eltern befolgte,
darüber, wie man im Leben Erfolg hat.

Indem ich die Gebote deiner Religion beachtete,
die dir sagen, was du zu tun und zu lassen hast,
um in Gottes Schoß aufgenommen zu werden.
Indem ich die grausamen Scherze

deiner Schulkameraden erlitt,
wenn sie sich über deine Schwächen lustig machten.
Indem ich die Erniedrigungen deiner Vorgesetzten
    ertrug.
Indem ich dein unansehnliches Spiegelbild betrachtete
und es anschließend mit den Berühmtheiten
aus dem Fernsehen verglich.

Und jetzt, endlich,
mächtig, wie ich bin,
und durch die einfache Tatsache,
daß ich eine Frau bin,
daß ich schwarz bin,
daß ich Jude bin,
daß ich homosexuell bin,
daß ich Orientale bin,
daß ich unfähig bin,
daß ich groß, klein oder dick bin...
kann ich mich
in einen Haufen Müll
verwandeln,
in Abschaum,
in einen Sündenbock,
in den Universalschuldigen,
in einen verdammten
abzulehnenden
Bastard.

Generationen von Männern und Frauen
halten mir die Stange.
Du kannst dich nicht von mir lösen.

Das Leid, das ich verursache, ist so erdrückend,
daß du mich, um mich zu ertragen,
an deine Kinder weiterreichen mußt,
damit sie mich an die ihren reichen,
von Jahrhundert zu Jahrhundert.

Um dir und deinen Nachkommen zu helfen,
werde ich mich als Perfektionismus verkleiden,
als hohe Ideale,
Selbstkritik,
Patriotismus,
Moralität,
gute Gepflogenheiten,
als Selbstkontrolle.

Der Schmerz, den ich dir verursache, ist derart stark,
daß du mich verleugnen willst,
und deshalb
wirst du versuchen, mich hinter deinen Persönlichkeiten
   zu verstecken,
hinter Drogen,
hinter deinem Kampf ums Geld,
hinter deiner Neurose,
hinter deiner unterdrückten Sexualität.
Aber egal, was du tust,

egal, wohin du gehst:
Ich werde dort sein,
immer.
Denn ich reise mit dir,
Tag und Nacht,
ununterbrochen,
grenzenlos.

Ich bin die Hauptursache der Abhängigkeit,
des Besitzanspruchs,
der Anstrengung,
der Unmoral,
der Angst,
der Gewalt,
des Verbrechens,
des Wahnsinns.

Ich werde dich die Angst vor Zurückweisung lehren
und dein Leben dieser Angst anpassen.
Von mir bist du abhängig, wenn du weiterhin
diese begehrte, gewünschte Person sein willst,
die gefeierte, freundlich und angenehm,
die du heute den anderen vorführst.
Von mir hängst du ab,
denn ich bin die Truhe, in der du
die unangenehmsten Dinge versteckst,
die lachhaftesten,
unerwünschtesten deiner selbst.

Dank mir
hast du gelernt, dich mit dem zufriedenzugeben,
was das Leben dir gibt,
denn was dir auch widerfährt,
wird immer mehr sein
als das, was du glaubst, verdient zu haben.

Du hast es erraten, stimmt's?

Ich bin... das Gefühl der Ablehnung,
das du dir selbst gegenüber hegst.

Erinnere dich an unsere Geschichte...

Alles begann an jenem grauen Tag,
an dem du aufhörtest, stolz
»Ich bin!«
zu sagen.
Und beschämt und ängstlich
senktest du den Kopf
und ändertest deine Worte und dein Handeln
gemäß dem Gedanken:
»Ich sollte sein.«

»Klar«, gab ich zu. »Das hätte ich früher nicht verstanden.«
    »Außerdem gebe ich dir diesen Brief jetzt, Demian, weil ich nicht will, daß du dieses Sprechzimmer heute verläßt, ohne ihn mitzunehmen.«

»Wirfst du mich raus?« fragte ich wie gewöhnlich.

Zum ersten Mal, seit ich Jorge kannte, hörte ich ihn stottern.

»Ich glaube ja«, flüsterte er.

Der Dicke zwinkerte mit einem Auge, lächelte und strich mir mit der Hand über die Wange.

»Ich hab dich sehr gern, Demian.«

»Ich dich auch, Dicker.«

Ohne ein weiteres Wort stand ich auf.

Ich ging auf Jorge zu, gab ihm einen Kuß und drückte ihn lang.

Dann ging ich raus auf die Straße.

Aus irgendeinem Grund spürte ich, daß an diesem Nachmittag *mein Leben* begann.

N a schön, das war's.
Während der letzten Monate habe ich versucht, ein paar von den Geschichten mit dir zu teilen, die ich den Menschen erzähle, die ich mag.

Manche Geschichten beleuchten mir die dunklen Abschnitte meines eigenen Weges.

Manche Geschichten haben mich Menschen nähergebracht, die ich damals wie heute für ihre Weisheit bewundere.

Manche Geschichten gefallen mir einfach, bedeuten mir etwas und werden mit jedem Erzählen wichtiger.

Ein Geschichtenbuch endet, natürlich, mit einer Geschichte. Diese heißt *Die Geschichte vom dunklen Diamanten* und basiert auf einer Erzählung von Isaak Leib Peretz.

In einem fernen Land lebte einmal ein Bauer.

Er war Besitzer eines kleinen Stückes Erde, auf dem er Getreide anbaute, und eines winzigen Gärtchens, in dem die Bauersfrau Gemüse zog, was der Familie ein kleines zusätzliches Einkommen einbrachte.

Eines Tages, während er seinen einfachen Pflug durch sein Feld zog, sah er zwischen den Schollen des fruchtbaren Landes etwas hervorglänzen. Ungläubig hob er es

auf. Es war wie außergewöhnliches Glas. Im Sonnenlicht glänzte es überwältigend schön. Der Bauer vermutete, daß es sich um einen sehr wertvollen Edelstein handelte.

Einen Moment lang surrte ihm der Schädel vor lauter
Ideen, was er alles tun könnte, wenn er diesen Diamanten verkaufte. Dann aber dachte er, daß dieser Stein ein
Himmelsgeschenk war und daß er ihn aufheben mußte
und nur im Notfall benutzen durfte.

Der Bauer erledigte seine Arbeit und kehrte mit dem
Diamanten nach Hause zurück.

Er hatte Angst, den Edelstein im Haus zu behalten, so
daß er, kaum war die Nacht angebrochen, in den Garten
hinaustrat, ein kleines Loch in die Erde bohrte und den
Diamanten dort, zwischen den Tomaten, verscharrte.
Um die Stelle später wiederfinden zu können, schob er
einen gelblichen Stein darauf.

Am nächsten Morgen zeigte er seiner Frau den Brok-
ken und bat sie, ihn um nichts in der Welt zu verschie-
ben. Die Frau fragte ihn, warum dieser seltsame Stein
mitten in ihren Tomaten liegen müsse. Und da der Bauer
nicht wagte, ihr die Wahrheit zu sagen, um sie nicht
unnötig aufzuregen, sagte er: »Dies ist ein ganz besonderer Stein, und solange er im Tomatenbeet liegt, werden
wir immer Glück haben.«

Die Frau dachte nicht weiter über diesen ungewohn-
ten Anflug von Aberglauben ihres Mannes nach und
kümmerte sich um ihre Tomaten.

Das Ehepaar hatte zwei Kinder: einen Jungen und ein

Mädchen. Als das Mädchen zehn Jahre alt war, fragte es seine Mutter nach dem Stein im Garten.

»Das ist ein Glücksbringer«, sagte die Mutter. Und das Mädchen gab sich zufrieden.

Eines Morgens, bevor es zur Schule ging, betrat das Mädchen das Tomatenbeet und berührte den gelblichen Stein, denn an jenem Tag hatte es eine sehr wichtige Prüfung zu bestehen.

Vielleicht aus reinem Zufall, vielleicht aber auch weil das Mädchen mit mehr Selbstbewußtsein in die Schule ging, bestand es die Prüfung mit einer guten Note, und so war die Macht des Steines bestätigt.

Als das Mädchen am Nachmittag nach Hause kam, brachte es einen kleinen gelblichen Stein mit, den es neben den ersten legte.

»Was soll dieser Stein?« fragte die Mutter.

»Wenn ein Stein Glück bringt, dann bringen zwei noch mehr Glück«, sagte das Mädchen mit bestechender Logik. Und von diesem Tag an brachte es immer wieder solche Steine mit, wenn es welche fand, und legte sie neben die anderen.

Wie in einem geheimen Wettbewerb oder auch nur, um es ihrer Tochter gleichzutun, begann auch die Mutter bald, Steine zu sammeln.

Der Junge hingegen wuchs bereits mit dem Mythos der Steine auf. Von klein auf hatte man ihn gelehrt, gelbe Steine an der Seite der anderen aufzuhäufen.

Eines Tages brachte der Junge einen grünlichen Stein mit und legte ihn neben die anderen...

»Was hat denn das zu bedeuten, mein Junge?« fragte ihn die Mutter.

»Ich fand, der Haufen wäre schöner, wenn noch ein paar grüne Steine dabeilägen«, erklärte der Junge.

»Auf gar keinen Fall, mein Sohn. Nimm diesen Stein weg.«

»Warum darf ich den grünen nicht neben die anderen legen?« fragte der Junge, der schon immer ein bißchen rebellisch gewesen war.

»Weil... äh...«, stammelte die Mutter, die sich nur an die Worte ihres Mannes erinnerte, der sagte, daß ein solcher Stein unter den Tomaten Glück bringe.

»Warum, Mama, warum?«

»Weil... die gelben Steine nur dann Glück bringen, wenn keine andersfarbigen Steine in der Nähe liegen«, erfand die Mutter.

»Das kann doch nicht sein«, hakte der Junge nach. »Warum sollen sie nicht genausoviel Glück bringen, wenn noch andere dabei sind?«

»Weil... äh... ach... Glückssteine sind sehr eifersüchtig.«

»Eifersüchtig?« wiederholte der Junge mit einem ironischen Lächeln. »Eifersüchtige Steine? Das ist lächerlich!«

»Schau mal, ich weiß nicht, warum die einen Steine Glücksbringer sind und die anderen nicht. Wenn du es genau wissen willst, frag deinen Vater«, sagte ihm die Mutter. Und ging weiter ihrer Beschäftigung nach, nicht ohne vorher den grünen Eindringling, den der Junge angeschleppt hatte, aus dem Beet zu entfernen.

An diesem Abend wartete der Junge lang, bis sein Vater vom Feld zurückkam.

»Papa, warum bringen die gelben Steine Glück?« fragte er, gleich nachdem er eingetreten war. »Und warum die grünen nicht? Und warum bringen die gelben Steine weniger Glück, wenn ein grüner in der Nähe ist? Und warum müssen sie zwischen den Tomaten liegen?«

Er hätte noch weitergefragt, ohne eine Antwort abzuwarten, wenn sein Vater nicht die Hand erhoben und ihm so Einhalt geboten hätte.

»Morgen, mein Sohn, werden wir zusammen aufs Feld gehen, und ich werde dir all deine Fragen beantworten.«

»Und warum hat bis jetzt...?« wollte der Junge weiterfragen.

»Morgen, mein Sohn, morgen«, unterbrach ihn der Vater.

Am nächsten Morgen, ganz in der Frühe, als alle im Haus noch schliefen, weckte der Vater den Sohn zärtlich, half ihm beim Anziehen und nahm ihn mit aufs Feld.

»So, mein Sohn. Ich habe dir das noch nicht erzählt, weil ich glaubte, du wärst noch nicht bereit, um die Wahrheit zu erfahren. Jetzt aber glaube ich, bist du groß genug, fast schon ein richtiger junger Mann, um alles zu erfahren und das Geheimnis für dich zu behalten, solang es nötig ist.«

»Welches Geheimnis, Papa?«

»Ich werde es dir sagen. All diese Steine in den Tomaten markieren einen bestimmten Ort im Garten. Unter ihnen liegt ein wertvoller Diamant vergraben, der Familienschatz. Ich wollte nicht, daß die anderen es erfahren, weil mir schien, sie könnten es nicht für sich behalten. Dir teile ich heute das Geheimnis mit, und von nun an wirst du der Hüter des Familiengeheimnisses sein. Irgendwann wirst du selbst Kinder haben, und eines Tages wird der Moment kommen, da du eins von ihnen in das Geheimnis einweihen mußt. An diesem Tag wirst du deinen Sohn beiseite nehmen und ihm die Wahrheit über den versteckten Schatz erzählen, so wie ich sie heute dir erzähle.«

Der Vater küßte den Sohn auf die Wange und fuhr fort.

»Ein Geheimnis zu bewahren bedeutet auch, zu wissen, wann der Moment gekommen ist, es zu teilen, und wer der Mensch ist, der seiner würdig sein kann. Aber bis dieser Tag der Entscheidung gekommen ist, mußt du die übrigen Familienmitglieder glauben lassen, was sie glauben wollen, über diese gelben Steine, über blaue oder grüne.«

»Du kannst auf mich zählen, Vater«, sagte der Junge und richtete sich auf, um erwachsener zu wirken.

Die Jahre vergingen. Der alte Bauer starb, und der Junge war zum Mann geworden. Auch er hatte Kinder, und unter ihnen gab es nur einen, der zum gegebenen Zeitpunkt das Geheimnis um den Diamanten kannte. Alle anderen glaubten daran, daß die gelben Steine Glück brachten.

Jahr um Jahr, Generation um Generation häuften die Mitglieder der Familie Steine im Garten des Hauses an. Es hatte sich dort ein riesiger Berg von gelben Steinen gebildet, ein Berg, den die Familie verehrte wie einen gigantischen unfehlbaren Talisman.

Nur ein Mann oder eine Frau in jeder Generation war im Besitz der Wahrheit über den Diamanten. Alle anderen verehrten die Steine...

Bis eines Tages, wer weiß, warum, das Geheimnis verlorenging.

Vielleicht starb ein Vater ganz plötzlich. Vielleicht glaubte ein Sohn nicht an das, was man ihm erzählte. Sicher ist, daß es von diesem Zeitpunkt an Leute gab, die weiterhin an den Wert der Steine glaubten, und solche, die diese alte Tradition in Frage stellten. Aber niemand erinnerte sich je wieder an den versteckten Schatz...

Diese Geschichten, die du gerade gelesen hast,
sind wie ein paar Steine.
Grüne Steine,
gelbe Steine,
rote Steine.

Diese Geschichten
sind nur geschrieben worden,
um einen Ort oder einen Weg zu markieren.

Die Arbeit, in ihnen,
in der Tiefe jeder Geschichte,
den versteckten Diamanten zu suchen,
ist die Aufgabe jedes einzelnen.

Die in diesem Buch während der Therapiesitzungen erzählten Ge‑
schichten haben vielfältige Ursprünge: Wenn sie nicht aus der Feder von
Jorge Bucay selbst stammen, gehen sie zurück auf volkstümliche Über‑
lieferungen aus den unterschiedlichsten Kulturkreisen – Sagen aus der
klassischen Antike, sephardische Legenden und Sufi‑Geschichten finden
sich ebenso wie Zen‑Weisheiten aus Japan und China oder Märchen aus
Argentinien, Frankreich, Rußland, Senegal und Tibet. Jorge Bucay hat
sie für uns neu gedeutet und »umerzählt«, und so finden scheinbar be‑
kannte Stoffe und Motive hier ihren unerwarteten, einzigartig lehr‑
reichen Ausgang. Manche seiner Geschichten gründen auf Texten und
Nacherzählungen der folgenden Autorinnen und Autoren:

Abelardo Cruz Beauregard, Leo Booth, John Bradshaw, Martin Buber,
Franz Jalics, Don Juan Manuel Infante de Castilla, Anthony de Mello,
Mamerto Menapace, Giovanni Papini, Isaak Leib Peretz, Bhagwan
Shree Rajneesh, Moss Roberts, Leo Rothen, Antoine de Saint‑Exupéry,
Idries Shah, René Juan Trossero, Álvaro Yunque.

Weiterführende Literatur

Bettelheim, Bruno, *Kinder brauchen Märchen.* Stuttgart, 1977.

Chajjam, Omar, *Die Sinnsprüche Omars des Zeltmachers.* Frankfurt, 1990.

Fromm, Erich, *Haben oder Sein.* Stuttgart, 1976.

Gibran, Khalil, *Der Prophet.* Olten, 1977.

Gougaud, Henri, *Das Buch der Liebenden.* München, 2001.

Haley, Jay, *Ordeal Therapie. Ungewöhnliche Wege der Verhaltensänderung.*
Hamburg, 1989.

La Fontaine, Jean de, *Sämtliche Fabeln.* Düsseldorf, 2002.

Pino‑Saavedra, Yolando, *Chilenische Volksmärchen.* Düsseldorf, 1964.

Tausch, Reinhard und Anne‑Marie Tausch, *Gesprächspsychotherapie.* Göt‑
tingen, 1968.

Watzlawick, Paul, *Anleitung zum Unglücklichsein.* München/Zürich,
1983.

INHALT